5 학년이 꼭 ✓ 알아야 한

도형

KMA
한국수학학력평가

수학 학력 평가의 새로운 기준!

현직 교수, 박사급 출제위원!

빅데이터 평가분석!

1:1 KMA 평가 전문 상담!

평가 일시 : 매년 상반기 6월, 하반기 11월 실시

참가 대상   초등 1학년 ~ 중등 3학년
(상급학년 응시가능)

신청 방법   1) KMA 홈페이지에서 온라인 접수
2) 해당지역 KMA 학원 접수처
3) 기타 문의 ☎ 070-4861-4832

홈페이지   www.kma-e.com

※ 상세한 내용은 홈페이지에서 확인해 주세요.

주 최 | 한국수학학력평가 연구원   주 관 | ㈜에듀왕

KMA 대비서

5학년이 꼭 ✓ 알아야 할 도형

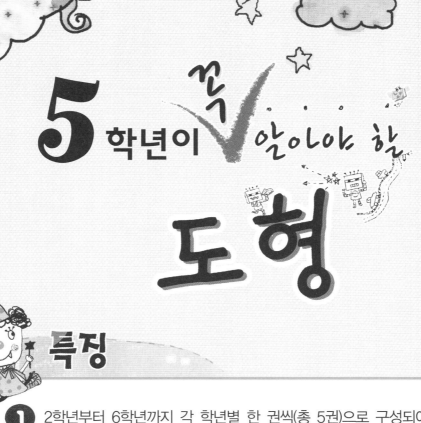

특징

1. 2학년부터 6학년까지 각 학년별 한 권씩(총 5권)으로 구성되어 있습니다.

2. 도형에 대한 개념을 이해하고 다양한 문제를 통해 자신감을 얻도록 하였습니다.

3. 자학자습용으로 뿐만 아니라 학원에서 특강용으로 활용할 수 있도록 하였습니다.

구성

 **개념 확인** 각 단원에서 꼭 알아야 할 기본적인 개념과 원리를 요약 정리하였습니다.

개념익히기 도형의 기본 개념과 원리를 확인하고 다질 수 있도록 하였습니다.

동메달따기 도형의 기본 원리를 적용하여 문제 해결을 함으로써, 자신감을 갖도록 하였습니다.

은메달따기 동메달 따기에서 얻은 자신감을 바탕으로 좀 더 향상된 문제해결력을 지닐 수 있도록 하였습니다.

금메달따기 다소 발전적인 문제로 구성되어, 도전의식을 가지고 문제를 해결해 보도록 하였습니다.

Contents

개념 확인

1. 다각형의 둘레

(1) 직사각형의 둘레

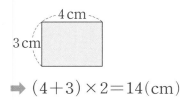

➡ $(4+3) \times 2 = 14 \,(cm)$

(2) 정사각형의 둘레

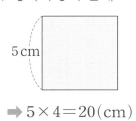

➡ $5 \times 4 = 20 \,(cm)$

(3) 정오각형의 둘레

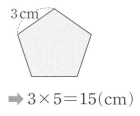

➡ $3 \times 5 = 15 \,(cm)$

(4) 정육각형의 둘레

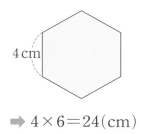

➡ $4 \times 6 = 24 \,(cm)$

2. 복잡한 도형의 둘레

(1)

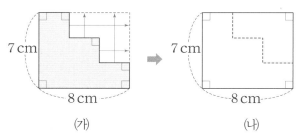

(가)　　　　　　　　(나)

➡ (가) 도형의 둘레는 (나) 도형의 둘레와 같습니다.
　따라서 $(8+7) \times 2 = 30 \,(cm)$ 입니다.

(2)

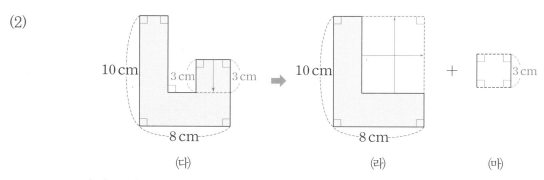

(다)　　　　　　(라)　　　　(마)

➡ (다) 도형의 둘레는 (라) 도형의 둘레와 (마) 도형의 실선의 길이와의 합과 같습니다.
　따라서 $(8+10) \times 2 + 3 \times 2 = 42 \,(cm)$ 입니다.

개념 익히기

1 정오각형의 둘레를 구하려고 합니다. □ 안에 알맞은 수를 써넣으시오.

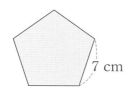

(정오각형의 둘레)

$= \boxed{} + \boxed{} + \boxed{} + \boxed{} + \boxed{}$

$= \boxed{} \times 5 = \boxed{}$ (cm)

2 평행사변형의 둘레를 구하려고 합니다. □ 안에 알맞은 수를 써넣으시오.

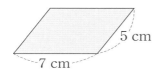

(평행사변형의 둘레)

$= \boxed{} + \boxed{} + \boxed{} + \boxed{}$

$= (\boxed{} + \boxed{}) \times 2 = \boxed{}$ (cm)

3 마름모의 둘레를 구하려고 합니다. □ 안에 알맞은 수를 써넣으시오.

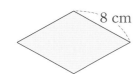

(마름모의 둘레)

$= \boxed{} + \boxed{} + \boxed{} + \boxed{}$

$= \boxed{} \times 4 = \boxed{}$ (cm)

4 정다각형의 둘레를 구하시오.

(1)　　　　　　(2)

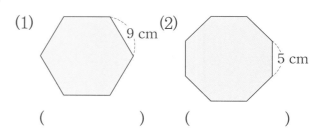

(　　　　　)　(　　　　　)

5 평행사변형과 직사각형의 둘레를 구하시오.

(1)　　　　　　(2)

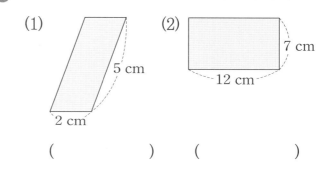

(　　　　　)　(　　　　　)

6 다음 도형의 둘레를 구하시오.

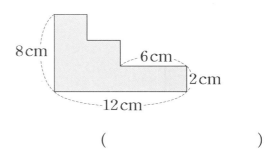

(　　　　　　　　　　)

1 다음 직사각형의 둘레는 몇 cm입니까?

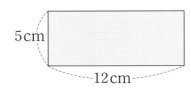

(   )

2 다음 정육각형의 둘레는 정삼각형의 둘레와 같습니다. 정삼각형의 한 변의 길이는 몇 cm입니까?

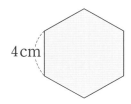 

(   )

3 한 변의 길이가 8 cm인 정육각형의 둘레는 다음 정사각형의 둘레보다 몇 cm 더 깁니까?

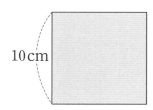

(   )

4 철사를 사용하여 한 변의 길이가 20 cm인 정오각형을 만들었습니다. 이 철사를 곧게 펴서 다음과 같은 직사각형을 만든다면 몇 개까지 만들 수 있습니까?

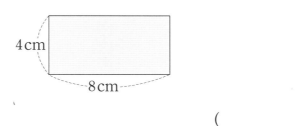

(   )

5 다음 직사각형의 둘레가 46 cm일 때, 이 직사각형의 세로는 몇 cm입니까?

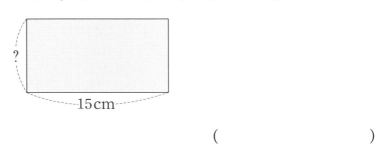

(   )

6 둘레가 다음 이등변삼각형의 둘레와 같은 정사각형이 있습니다. 이 정사각형의 한 변의 길이는 몇 cm입니까?

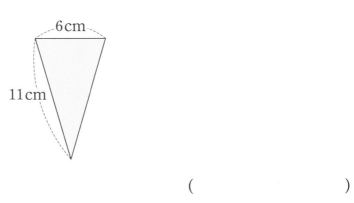

(   )

7 다음 도형의 둘레는 몇 cm입니까?

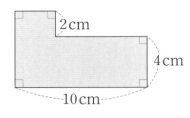

(   )

8 다음 도형의 둘레는 몇 cm입니까?

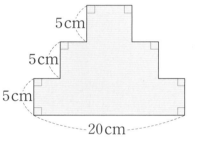

(   )

9 철사를 사용하여 다음과 같은 도형을 만들었습니다. 이 철사를 곧게 펴서 가장 큰 정오각형을 만들었을 때, 정오각형의 한 변의 길이는 몇 cm입니까?

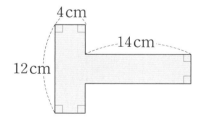

(   )

10 다음 직사각형의 둘레는 한 변의 길이가 25 cm인 정오각형의 둘레와 같습니다. □ 안에 알맞은 수를 구하시오.

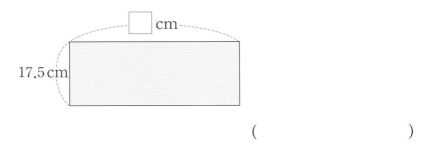

(   )

11 다음 도형의 둘레는 몇 cm입니까?

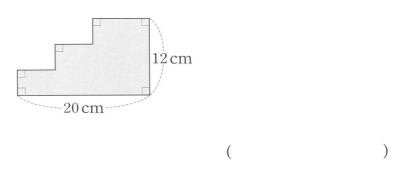

(   )

12 다음 도형과 둘레가 같은 정사각형을 한 개 그리려고 합니다. 정사각형의 한 변의 길이를 몇 cm로 하면 됩니까?

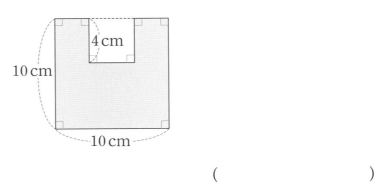

(   )

1 다음 도형은 둘레가 8 cm인 정사각형 10개로 이루어져 있습니다. 이 도형의 둘레는 몇 cm입니까?

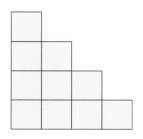

(   )

2 다음 도형의 둘레는 40 cm입니다. ☐ 안에 알맞은 수를 구하시오.

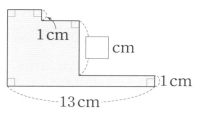

1 cm

☐ cm

1 cm

13 cm

(   )

3 다음과 같이 한 변의 길이가 20 cm인 정사각형의 종이를 점선을 따라 크기가 같은 5개의 직사각형을 만들었을 때, 5개의 직사각형의 둘레의 합은 몇 cm입니까?

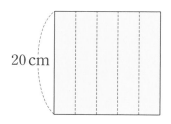

20 cm

(   )

4 다음 도형의 둘레는 몇 cm입니까?

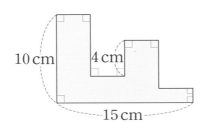

10 cm   4 cm   15 cm

(   )

5 다음 사다리꼴의 둘레는 몇 cm입니까?

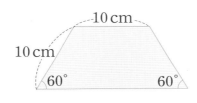

10 cm   10 cm   60°   60°

(   )

6 다음은 크기가 같은 정사각형 9개로 이루어진 도형입니다. 이 도형의 둘레가 32 cm
일 때 정사각형 1개의 둘레는 몇 cm입니까?

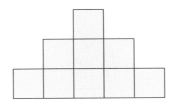

(   )

금메달 따기

생각의 샘

1 다음은 크기가 같은 정사각형 13개로 이루어진 도형입니다. 이 도형의 둘레가 60 cm일 때, 정사각형 1개의 둘레는 몇 cm입니까?

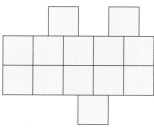

(   )

주어진 도형의 둘레 는 직사각형의 둘레 와 남는 길이의 합 입니다.

2 다음 도형의 둘레는 40 cm입니다. 변 ㅇㅅ의 길이는 몇 cm입니까?

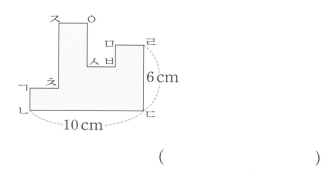

(   )

보조선을 그어 둘레 를 구할 수 있는 모 양으로 만듭니다.

3 다음과 같이 정사각형의 종이를 점선을 따라 잘라 크기가 같은 직사각형 4개를 만든 뒤, 둘레의 합을 구하였더니 80 cm였습니다. 정사각형의 한 변의 길이는 몇 cm입니까?

(   )

점선을 따라 한 변 자를 때마다 정사각 형의 한 변이 2개씩 늘어납니다.

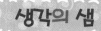

4 오른쪽 도형의 둘레를 구하시오.

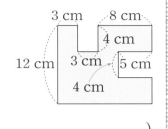

( )

5 크기가 다른 정사각형을 겹치지 않게 붙여서 그림과 같은 도형을 만들었습니다. 만든 도형의 둘레는 몇 cm입니까?

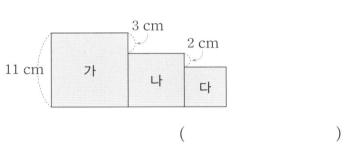

( )

먼저 정사각형 나와 다의 한 변의 길이를 알아봅니다.

6 직사각형을 오른쪽 그림과 같이 5개의 정사각형으로 나눌 수 있습니다. 가장 작은 정사각형의 둘레가 28 cm일 때, 가장 큰 직사각형의 둘레는 몇 cm인지 설명하시오.

2. 넓이의 단위를 알고 직사각형의 넓이 구하기

1. 1 cm² 알아보기

도형의 넓이를 나타낼 때에는 한 변의 길이가 1 cm인 정사각형의 넓이를 넓이의 단위로 사용합니다.
이 정사각형의 넓이를 1 cm²라 쓰고 1 제곱센티미터라고 읽습니다.

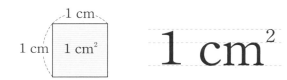

2. 1 m² 알아보기

한 변의 길이가 1 m인 정사각형의 넓이를 1 m²라 쓰고 1 제곱미터라고 읽습니다.

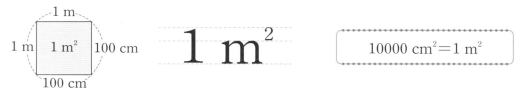

$$10000 \text{ cm}^2 = 1 \text{ m}^2$$

3. 1 km² 알아보기

한 변의 길이가 1 km인 정사각형의 넓이를 1 km²라 쓰고 1 제곱킬로미터라고 읽습니다.

$$1000000 \text{ m}^2 = 1 \text{ km}^2$$

4. 직사각형의 넓이

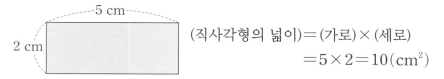

$$(직사각형의 \ 넓이) = (가로) \times (세로)$$
$$= 5 \times 2 = 10 (\text{cm}^2)$$

5. 정사각형의 넓이

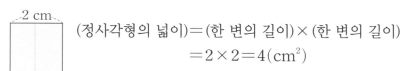

$$(정사각형의 \ 넓이) = (한 \ 변의 \ 길이) \times (한 \ 변의 \ 길이)$$
$$= 2 \times 2 = 4 (\text{cm}^2)$$

개념익히기

1 □ 안에 알맞게 써넣으시오.

한 변이 1 cm인 정사각형의 넓이를 [ ]
라 쓰고 [   ]라고 읽습니다.

2 그림을 보고 □ 안에 알맞은 수를 써넣으시오.

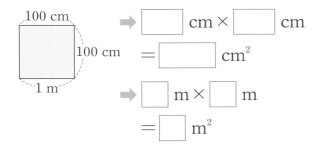

➡ [ ] cm × [ ] cm
= [   ] cm²

➡ [ ] m × [ ] m
= [ ] m²

3 그림을 보고 □ 안에 알맞은 수를 써넣으시오.

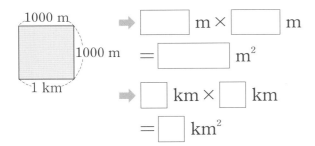

➡ [   ] m × [ ] m
= [   ] m²

➡ [ ] km × [ ] km
= [ ] km²

4 □ 안에 알맞은 수를 써넣으시오.

(1) 7 m² = [   ] cm²

(2) 8 km² = [   ] m²

(3) 40000 cm² = [ ] m²

(4) 5000000 m² = [ ] km²

5 직사각형의 넓이를 구하시오.

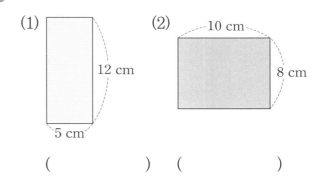

(1)   12 cm   5 cm

(2)   10 cm   8 cm

(   ) (   )

6 직사각형의 넓이를 구하시오.

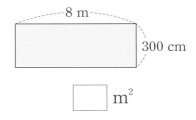

8 m   300 cm

[ ] m²

7 직사각형의 넓이를 구하시오.

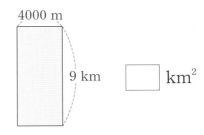

4000 m   9 km

[ ] km²

동메달 따기

1 직사각형의 넓이를 구하시오.

(1)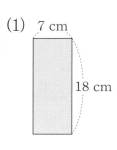
7 cm
18 cm

(   )

(2)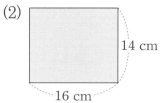
14 cm
16 cm

(   )

2 정사각형의 넓이를 구하시오.

(1)
13 cm

(   )

(2)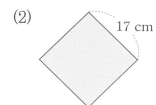
17 cm

(   )

3 가영이네 반 게시판은 가로가 250 cm, 세로가 120 cm인 직사각형 모양입니다. 이 게시판의 넓이는 몇 m^2입니까?

(   )

4 ☐ 안에 알맞은 수를 써넣으시오.

(1) 8 m² = ☐ cm²

(2) 20 m² = ☐ cm²

(3) 6 km² = ☐ m²

(4) 30 km² = ☐ m²

(5) 50000 cm² = ☐ m²

(6) 1200000 cm² = ☐ m²

(7) 2000000 m² = ☐ km²

(8) 70000000 m² = ☐ km²

5 오른쪽 직사각형 ㄱㄴㅁㅂ의 넓이는 108 cm²입니다. 직사각형 ㅂㅁㄷㄹ의 넓이는 몇 cm²입니까?

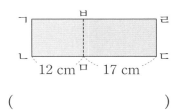

12 cm   17 cm

(   )

6 오른쪽 정사각형 ㅁㄴㄷㅂ의 넓이는 81 cm²이고, 선분 ㄱㅁ의 길이는 5 cm입니다. 직사각형 ㄱㄴㄷㄹ의 넓이는 몇 cm²입니까?

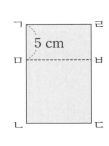

5 cm

(   )

7 색칠한 도형의 넓이와 색칠하지 않은 도형의 넓이의 차를 구하시오.

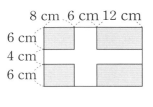

( )

8 색칠한 도형의 넓이는 몇 cm²입니까?

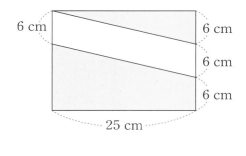

( )

9 한 변의 길이가 13 cm인 정사각형 모양의 종이에서 가 부분을 오려 냈습니다. 남은 종이의 넓이가 117 cm²일 때, 오려낸 가 부분의 가로를 구하시오.

( )

10 색칠한 도형의 넓이를 구하시오.

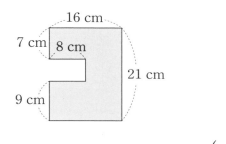

(   )

11 색칠한 도형의 넓이를 구하시오.

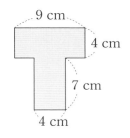

(   )

12 색칠한 도형의 넓이를 구하시오.

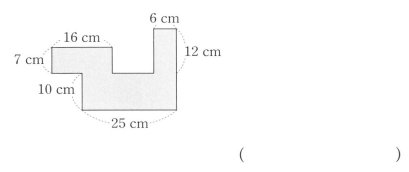

(   )

1 오른쪽 도형은 작은 정사각형 6개를 붙여서 만든 것입니다. 도형 전체의 둘레가 96 cm이면 작은 정사각형 한 개의 넓이는 몇 cm² 입니까?

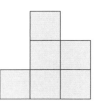

(   )

2 오른쪽 도형의 넓이는 몇 cm²입니까?

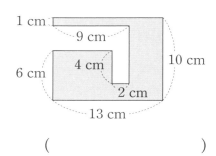

(   )

3 오른쪽과 같이 가로가 38 cm, 세로가 50 cm인 직사각형 모양의 거울이 있습니다. 거울틀의 폭이 4 cm일 때, 거울만의 넓이는 몇 cm²입니까?

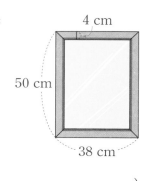

(   )

4 넓이가 169 cm인 정사각형의 가로를 5 cm, 세로를 7 cm만큼 늘여 직사각형을 만들었습니다. 이 직사각형의 넓이를 구하시오.

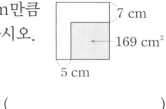

(   )

5 오른쪽 그림에서 ㉮와 ㉯의 넓이는 같습니다. 직사각형 ㉮의 가로는 몇 cm입니까?

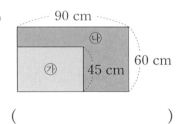

(   )

6 한 변이 30 cm인 두 정사각형을 오른쪽 그림과 같이 겹쳐 놓았을 때, 색칠한 부분의 넓이를 구하시오.

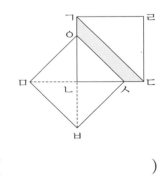

(   )

금메달 따기

1 한 변이 16 cm인 정사각형 모양의 종이 4장을 겹쳐 놓은 것입니다. 겹쳐 놓은 전체의 넓이를 구하시오.

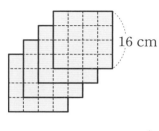

16 cm

(   )

2 그림과 같이 3개의 정사각형을 겹치지 않게 붙여서 도형을 만들었을 때 만든 도형의 넓이를 구하시오.

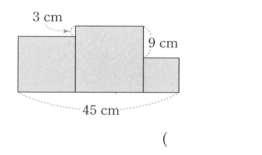

3 cm

9 cm

45 cm

(   )

3 직사각형 ㄱㄴㄷㄹ에서 ㉮의 넓이가 45 cm²일 때, 직사각형 ㄱㄴㄷㄹ의 둘레는 몇 cm입니까?

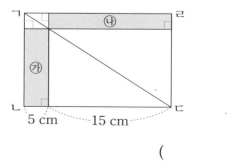

5 cm   15 cm

㉮와 ㉯의 넓이는 같습니다.

(   )

4 크기가 다른 5개의 정사각형으로 다음과 같은 도형을 만들었을 때 이 도형의 넓이는 몇 cm²입니까?

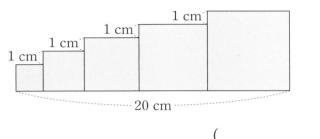

(   )

가장 작은 정사각형의 한 변을 구해 봅니다.

5 어떤 정사각형의 가로를 3 cm, 세로를 5 cm 늘려서 직사각형을 만들면 넓이가 처음보다 71 cm² 더 늘어난다고 합니다. 처음 정사각형의 한 변은 몇 cm입니까?

(   )

그림을 직접 그려서 생각해 봅니다.

6 정사각형 ㄱㄴㄷㄹ에서 색칠한 부분의 넓이가 1600 cm²일 때, 정사각형 ㄱㄴㄷㄹ의 넓이는 몇 cm²입니까?

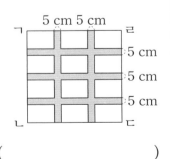

(   )

3. 평행사변형과 삼각형의 넓이 구하기

1. 평행사변형의 밑변과 높이

평행사변형에서 평행한 두 변을 밑변이라 하고 두 밑변 사이의 거리를 높이라고 합니다.

2. 평행사변형의 넓이

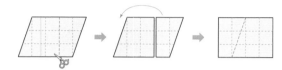

(평행사변형의 넓이)=(직사각형의 넓이)
=(가로)×(세로)
=(밑변의 길이)×(높이)

평행사변형의 넓이는 직사각형의 넓이와 같습니다.
➡ 밑변의 길이와 높이가 같은 평행사변형은 모양이 달라도 넓이는 모두 같습니다.

3. 삼각형의 밑변과 높이

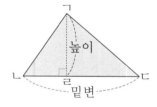 

삼각형 ㄱㄴㄷ에서 변 ㄴㄷ을 밑변이라 하고, 꼭짓점 ㄱ에서 밑변에 수직으로 그은 선분 ㄱㄹ을 높이라고 합니다.

4. 삼각형의 넓이 구하기

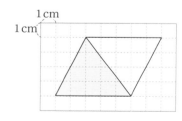

(삼각형의 넓이)
=(평행사변형의 넓이)÷2
=(밑변)×(높이)÷2
=5×4÷2=10(cm²)

5. 밑변과 높이가 같은 삼각형

• 밑변과 높이가 같은 삼각형끼리는 모양은 달라도 넓이는 같습니다.

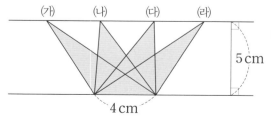

➡ 삼각형 (가), (나), (다), (라)는 모두 밑변의 길이가 4 cm, 높이가 5 cm인 삼각형이며 넓이는 4×5÷2=10(cm²)로 모두 같습니다.

1 평행사변형 가, 나의 높이는 각각 몇 cm입니까?

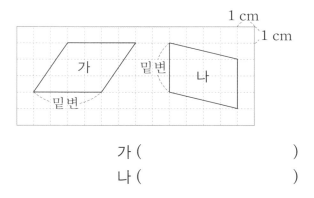

가 (   )

나 (   )

2 평행사변형을 보고 물음에 답하시오.

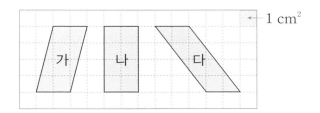

(1) 평행사변형의 넓이를 구하시오.

	가	나	다
넓이(cm^2)			

(2) ☐ 안에 알맞은 말을 써넣으시오.

평행사변형은 ☐ 의 길이와 ☐ 가 같으면 모양이 다르더라도 그 넓이는 모두 같습니다.

3 평행사변형의 넓이를 구하시오.

(1)　　　　　　(2)

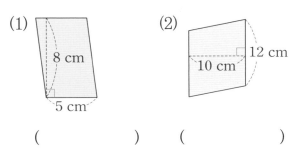

(   )   (   )

4 오른쪽 삼각형의 넓이를 구하려고 합니다. ☐ 안에 알맞은 수를 써넣으시오.

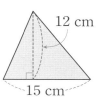

(넓이)=(밑변의 길이)×(높이)÷2

= ☐ × ☐ ÷2= ☐ (cm^2)

5 직선 가와 나는 서로 평행합니다. 물음에 답하시오.

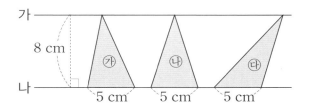

(1) 삼각형의 넓이를 구하시오.

	㉮	㉯	㉰
넓이(cm^2)			

(2) ☐ 안에 알맞은 말을 써넣으시오.

삼각형의 모양은 다르더라도 ☐ 의 길이와 ☐ 가 같으면 그 넓이는 모두 같습니다.

6 삼각형의 넓이를 구하시오.

(1)　　　　　　(2)

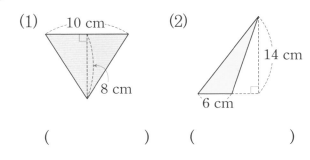

(   )   (   )

 동메달 따기

1 평행사변형의 넓이를 구하시오.

(1)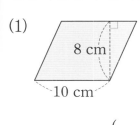
8 cm
10 cm

(2)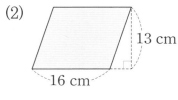
13 cm
16 cm

(   )　　　　　　(   )

2 ☐ 안에 알맞은 수를 써넣으시오.

(1)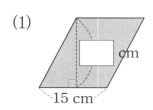
☐ cm
15 cm
넓이 : 240 cm²

(2)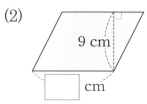
9 cm
☐ cm
넓이 : 108 cm²

3 넓이가 <u>다른</u> 평행사변형을 찾아 기호를 쓰시오.

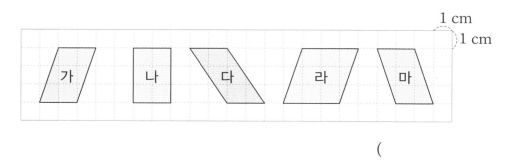
1 cm
1 cm

(   )

4 오른쪽 평행사변형을 보고 물음에 답하시오.

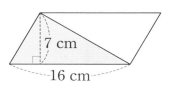

(1) 색칠한 부분의 넓이는 평행사변형의 넓이의 얼마인지 분수로 나타내시오.

( )

(2) 색칠한 부분의 넓이는 몇 cm²입니까?

( )

5 삼각형의 넓이를 구하시오.

(1)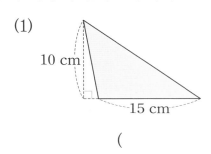

( )

(2)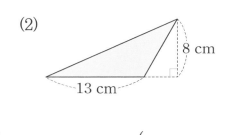

( )

6 넓이가 <u>다른</u> 삼각형을 찾아 기호를 쓰시오.

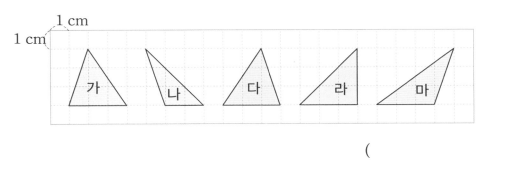

( )

7 두 삼각형의 넓이는 각각 72 cm²입니다. ☐ 안에 알맞은 수를 써넣으시오.

(1)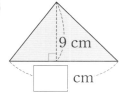

(2)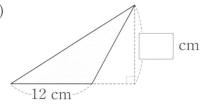

8 오른쪽 삼각형을 보고 물음에 답하시오.

(1) 삼각형 ㄱㄴㄷ의 넓이는 몇 cm²입니까?

(   )

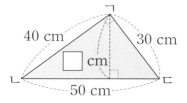

(2) ☐ 안에 알맞은 수를 구하시오.

(   )

9 삼각형과 평행사변형 중에서 어느 도형이 몇 cm² 더 넓습니까?

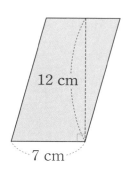

(   )

10 다음 평행사변형의 넓이는 60 cm²입니다. 이 평행사변형의 높이를 구하시오.

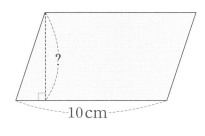

(   )

11 다음 삼각형의 넓이는 80 cm²입니다. 이 삼각형의 밑변의 길이를 구하시오.

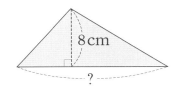

(   )

12 다음 삼각형과 평행사변형의 넓이는 같습니다. 평행사변형의 높이를 구하시오.

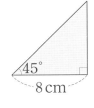 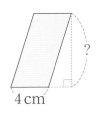

(   )

1 다음 평행사변형에서 ㉠의 길이는 몇 cm인지 구하시오.

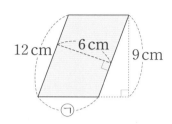

(   )

2 다음 도형의 넓이를 구하시오.

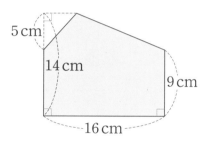

(   )

3 다음 도형의 넓이가 58 cm²일 때, ㉠의 길이는 몇 cm인지 구하시오.

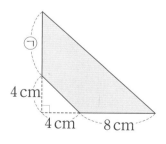

(   )

4 다음 도형에서 색칠한 부분의 넓이를 구하시오.

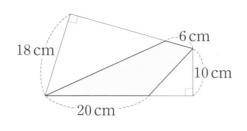

(   )

5 다음 두 삼각형 ㈎와 ㈏의 넓이가 같을 때 삼각형 ㈏의 높이를 구하시오.

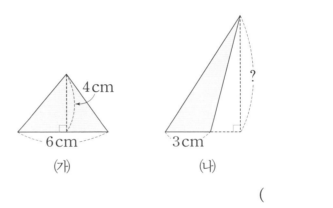

㈎   ㈏

(   )

6 다음 도형의 넓이를 구하시오.

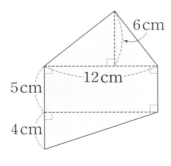

(   )

금메달 따기

1 다음 직사각형에서 선분 ㅁㅂ의 길이는 선분 ㄱㄷ의 길이의 $\frac{1}{5}$입니다. 색칠한 부분의 넓이를 구하시오.

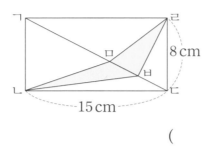

(   )

보조선을 그어 생각합니다.

2 다음 도형에서 색칠한 부분의 넓이를 구하시오.

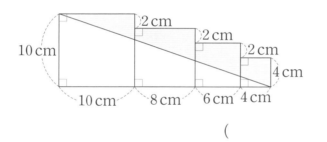

(   )

사각형 전체의 넓이에서 삼각형의 넓이를 빼어 구합니다.

3 다음 그림과 같이 삼각형 ㄱㄴㄷ의 변 ㄱㄴ과 변 ㄱㄷ의 연장선을 그어 변 ㄱㄴ의 4배, 변 ㄱㄷ의 3배가 되도록 점 ㄹ과 점 ㅁ을 찍어 삼각형 ㄱㄹㅁ을 만들었습니다. 삼각형 ㄱㄴㄷ의 넓이가 10 cm²일 때, 삼각형 ㄱㄹㅁ의 넓이를 구하시오.

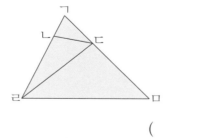

(   )

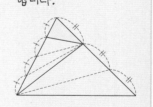

보조선을 그어 생각합니다.

4 다음 그림에서 사각형 ㄱㄴㄷㄹ과 사각형 ㅁㄴㄷㅂ은 모두 평행사변형입니다. 사다리꼴 ㅁㅅㄷㅂ의 넓이가 150 cm²일 때 선분 ㄹㅅ의 길이를 구하시오.

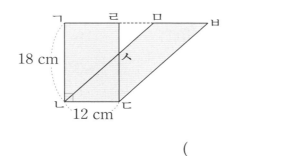

(   )

5 오른쪽 도형에서 삼각형 ㄹㅁㄷ의 넓이가 70 cm²일 때, 사각형 ㄱㄴㄷㄹ의 넓이를 구하시오.

(   )

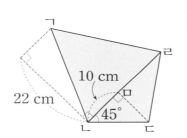

> (사각형 ㄱㄴㄷㄹ)
> =(삼각형 ㄱㄴㄹ)
>   +(삼각형 ㄴㄷㄹ)

6 다음 도형에서 색칠한 부분의 넓이를 구하시오.

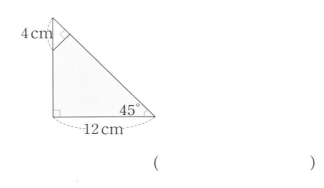

(   )

> 색칠하지 않은 부분의 삼각형은 한 각이 직각인 이등변삼각형이 됩니다.

4. 마름모와 사다리꼴의 넓이 구하기

1. 마름모의 넓이

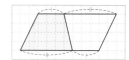

마름모의 넓이는 직사각형의 넓이의 반입니다.

참고 마름모에서 두 대각선은 서로 수직으로 만나고 한 대각선이 다른 대각선을 반으로 나눕니다.

> (마름모의 넓이)
> =(직사각형의 넓이)÷2
> =(가로)×(세로)÷2
> =(한 대각선의 길이)
>   ×(다른 대각선의 길이)÷2

2. 사다리꼴의 구성 요소

사다리꼴에서 평행한 두 변을 밑변이라 하고, 한 밑변을 윗변, 다른 밑변을 아랫변이라고 합니다. 이때 두 밑변 사이의 거리를 높이라고 합니다.

3. 사다리꼴의 넓이

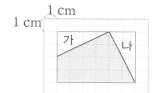

모양과 크기가 같은 사다리꼴 2개를 돌려 붙이면 평행사변형이 됩니다.

> (사다리꼴의 넓이)
> =(평행사변형의 넓이)÷2
> =(밑변의 길이)×(높이)÷2
> ={(윗변의 길이)+(아랫변의 길이)}
>   ×(높이)÷2

참고 두 밑변의 길이의 합과 높이가 같은 사다리꼴은 모양이 달라도 넓이는 모두 같습니다.

4. 다각형의 넓이 구하기

다각형의 넓이를 직사각형, 삼각형, 평행사변형 등으로 모양을 바꾸어 구할 수 있습니다.

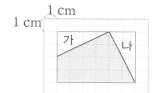 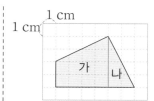 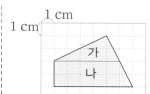 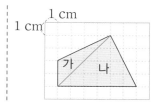

(직사각형의 넓이)−가−나	가+나	가+나	가+나
$=(6\times4)$	$=\{(2+4)\times4\div2\}$	$=(5\times2\div2)$	$=(2\times4\div2)$
$\quad-(2\times4\div2)$	$\quad+(2\times4\div2)$	$\quad+\{(5+6)\times2\div2\}$	$\quad+(6\times4\div2)$
$\quad-(2\times4\div2)$	$=12+4$	$=5+11$	$=4+12$
$=24-4-4$	$=16(\text{cm}^2)$	$=16(\text{cm}^2)$	$=16(\text{cm}^2)$
$=16(\text{cm}^2)$			

1 마름모의 넓이를 구하려고 합니다. □ 안에 알맞은 수를 써넣으시오.

(1)

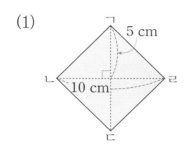

(넓이)=(삼각형 ㄱㄴㄹ의 넓이)×2

$$= \boxed{} \times \boxed{} \div \boxed{} \times 2$$

$$= \boxed{} \, (\text{cm}^2)$$

(2)

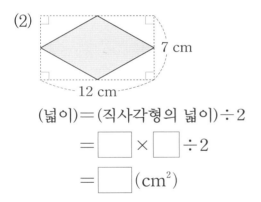

(넓이)=(직사각형의 넓이)÷2

$$= \boxed{} \times \boxed{} \div 2$$

$$= \boxed{} \, (\text{cm}^2)$$

2 마름모의 넓이를 구하시오.

(1)   (2)

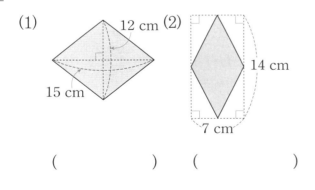

(   )   (   )

3 한 대각선이 10 m이고 다른 대각선이 12 m인 마름모의 넓이를 구하시오.

(   )

4 사다리꼴 ㄱㄴㄷㄹ의 넓이를 구하려고 합니다. □ 안에 알맞은 수를 써넣으시오.

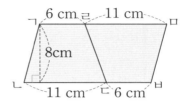

(사다리꼴 ㄱㄴㄷㄹ의 넓이)

=(평행사변형 ㄱㄴㅂㅁ의 넓이)÷2

$$= (\boxed{} + \boxed{}) \times \boxed{} \div 2$$

$$= \boxed{} \, (\text{cm}^2)$$

5 사다리꼴의 넓이를 구하시오.

(1)   (2)

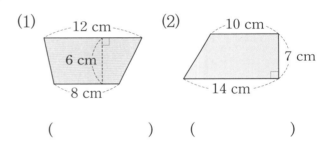

(   )   (   )

6 다각형의 넓이를 구하려고 합니다. □ 안에 알맞은 수를 써넣으시오.

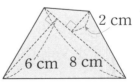

(다각형의 넓이)

=(두 삼각형의 넓이의 합)

$$= (\boxed{} \times 2 \div 2) + (8 \times \boxed{} \div 2)$$

$$= \boxed{} + \boxed{}$$

$$= \boxed{} \, (\text{cm}^2)$$

1 마름모의 넓이를 구하시오.

(1)

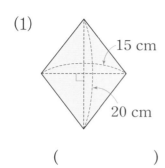

15 cm

20 cm

(   )

(2)

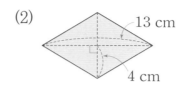

13 cm

4 cm

(   )

2 오른쪽 사각형은 마름모입니다. 삼각형 ㄱㄴㅇ의 넓이가 22 cm²일 때 마름모 ㄱㄴㄷㄹ의 넓이는 몇 cm²입니까?

(   )

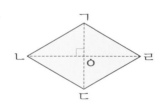

3 가로가 15 cm, 세로가 8 cm인 직사각형 안에 네 변의 가운데를 이어 마름모를 그렸습니다. 색칠한 부분의 넓이는 몇 cm²입니까?

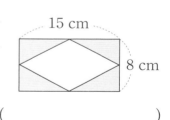

15 cm

8 cm

(   )

4 사다리꼴의 넓이를 구하시오.

(1)
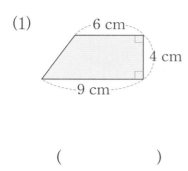

(   )

(2)
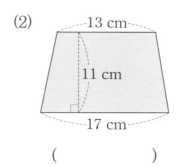

(   )

5 □ 안에 알맞은 수를 써넣으시오.

(1)
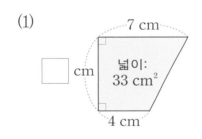

(2)
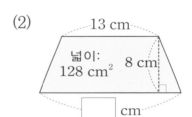

6 사다리꼴 ㄱㄴㄷㄹ의 넓이는 240 cm²입니다. 사다리꼴 ㅁㅂㄷㄹ의 높이는 몇 cm입니까?

(   )

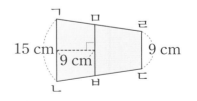

7 마름모 ㄱㄴㄷㄹ의 넓이가 54 cm²일 때 대각선 ㄱㄷ의 길이는 몇 cm입니까?

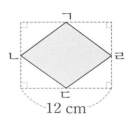

(   )

8 오른쪽 그림과 같은 직각삼각형을 될 수 있는 대로 적게 사용하여 마름 모를 만들려고 합니다. 만들어지는 마름모의 넓이는 몇 cm²입니까?

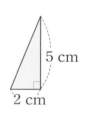

(   )

9 큰 마름모 안에 대각선의 길이의 반을 대각선으로 하는 작은 마름모를 그렸습니다. 색칠한 부분의 넓이는 몇 cm²입니까?

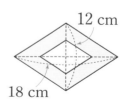

(   )

10 □ 안에 알맞은 수를 써넣으시오.

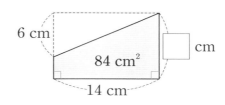

11 오른쪽 그림에서 색칠한 부분의 넓이를 구하시오.

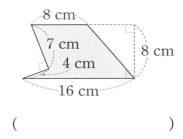

(   )

12 사다리꼴 ㄱㄴㄷㄹ의 넓이가 500 cm²일 때 선분 ㄹㅁ의 길이는 몇 cm입니까?

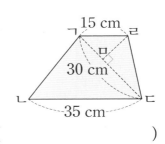

(   )

1 큰 마름모의 대각선의 길이의 반을 대각선의 길이로 하는 작은 마름모를 그렸습니다. 색칠한 부분의 넓이는 몇 cm²입니까?

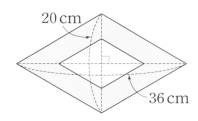

(   )

2 다음 사다리꼴의 넓이를 구하시오.

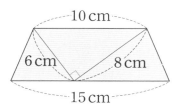

(   )

3 다음 사다리꼴 ㄱㄴㄷㄹ의 넓이는 선분 ㄴㅁ에 의해 이등분 됩니다. 삼각형 ㄱㄴㅁ의 넓이가 120 cm²일 때, 사다리꼴 ㄱㄴㄷㄹ의 둘레의 길이를 구하시오.

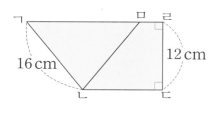

(   )

4 사각형 ㄱㄴㄷㅁ과 사각형 ㅂㄴㄷㄹ은 모양과 크기가 같은 평행사변형입니다. 삼각형 ㄱㄴㅂ의 넓이가 14 cm²일 때 사다리꼴 ㅂㄴㄷㄹ의 넓이는 몇 cm²인지 구하시오.

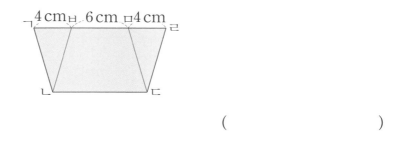

(   )

5 다음 사다리꼴 ㄱㄴㄷㄹ에서 변 ㄱㄴ과 평행한 선분 ㅁㅂ을 그어 넓이를 이등분 하려고 합니다. 선분 ㅁㄹ의 길이를 구하시오.

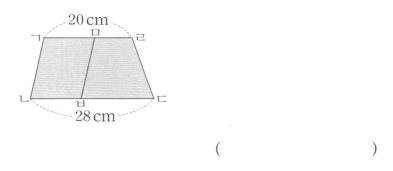

(   )

6 마름모 ㄱㄴㄷㄹ의 네 변의 가운데를 이어서 직사각형을 만들고, 직사각형의 네 변의 가운데를 이어서 마름모를 만들었습니다. 이와 같이 반복하였을 때, 색칠한 부분의 넓이가 14 cm²이면 마름모 ㄱㄴㄷㄹ의 넓이는 몇 cm²인지 구하시오.

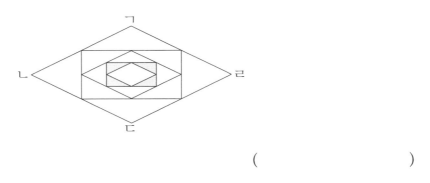

(   )

금메달 따기

생각의 샘

1 다음 사각형 ㄱㄴㄷㄹ의 넓이는 336 cm²입니다. 색칠한 부분의 넓이를 구하시오.

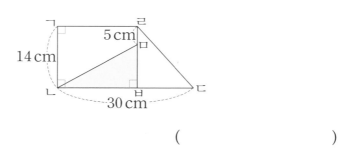

(   )

변 ㄱㄹ의 길이를 먼저 구합니다.

2 다음 도형에서 사각형 ㄱㄴㄷㄹ은 직사각형이고, 사각형 ㄴㄷㅂㅁ은 평행사변형입니다. 사다리꼴 ㅁㅅㄷㅂ의 넓이가 24 cm²이면 선분 ㄹㅅ의 길이는 몇 cm인지 구하시오.

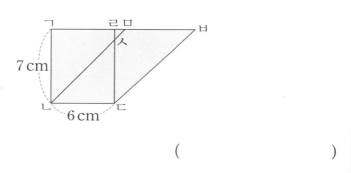

(   )

직사각형 ㄱㄴㄷㄹ과 평행사변형 ㅁㄴㄷㅂ의 넓이는 같습니다.

3 오른쪽 그림에서 삼각형 ㄱㄴㄷ과 삼각형 ㄹㅁㅂ은 서로 모양과 크기가 같습니다. 색칠한 부분의 넓이가 65 cm²이면 선분 ㄴㅁ의 길이는 몇 cm입니까?

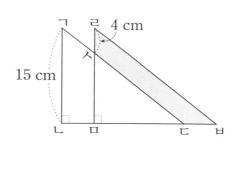

(   )

4 오른쪽 사다리꼴 ㄱㄴㄷㄹ에서 색칠한 부분의 넓이가 140 cm²일 때 사다리꼴 ㄱㄴㄷㄹ의 넓이는 몇 cm²입니까?

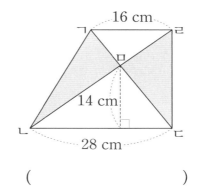

(   )

사다리꼴 ㄱㄴㄷㄹ의 높이는 삼각형 ㄹㄴㄷ의 높이와 같습니다.

5 오른쪽 그림에서 정사각형 ㅂㄷㄹㅁ과 사다리꼴 ㄱㄴㄷㅂ의 넓이가 같습니다. 선분 ㄱㅂ과 선분 ㄴㄷ의 길이를 각각 구하시오.

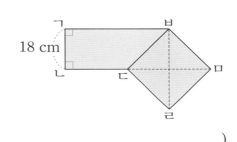

(   )

정사각형은 마름모이므로 정사각형의 넓이를 마름모의 넓이를 구하는 식으로 구할 수 있습니다.

6 오른쪽 그림에서 가의 넓이는 나의 넓이의 5배이고, 선분 ㄴㄷ의 길이는 선분 ㄱㅁ의 길이의 2배보다 2 cm 더 깁니다. 선분 ㄴㄷ의 길이는 몇 cm입니까?

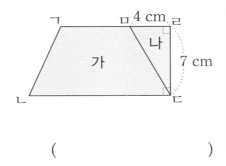

(   )

개념 확인

1. 합동인 도형 알아보기

도형 가, 나와 같이 모양과 크기가 같아서 포개었을 때, 완전히 겹쳐지는 두 도형을 서로 합동이라고 합니다.

2. 합동인 도형의 성질

- 합동인 두 도형을 완전히 포개었을 때, 겹쳐지는 점을 대응점, 겹쳐지는 변을 대응변, 겹쳐지는 각을 대응각이라고 합니다.
- 합동인 도형에서 대응변의 길이는 같습니다.
- 합동인 도형에서 대응각의 크기는 같습니다.

3. 세 변의 길이가 주어진 삼각형과 합동인 삼각형 그리기

자와 컴퍼스를 사용하여 합동인 삼각형을 그릴 수 있습니다.

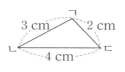

① 길이가 4 cm인 선분 ㄴㄷ을 그립니다.

② 점 ㄴ을 중심으로 반지름이 3 cm인 원의 일부분을 그립니다.

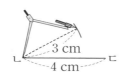

③ 점 ㄷ을 중심으로 반지름이 2 cm인 원의 일부분을 그립니다.

④ 두 원이 만나는 점 ㄱ을 찾아 점 ㄱ과 ㄴ, 점 ㄱ과 ㄷ을 각각 잇습니다.

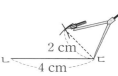
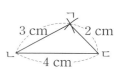

4. 두 변의 길이와 그 사이의 각이 주어진 삼각형과 합동인 삼각형 그리기

자와 각도기를 사용하여 합동인 삼각형을 그릴 수 있습니다.

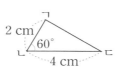

① 길이가 4 cm인 선분 ㄴㄷ을 그립니다.

② 점 ㄴ을 꼭짓점으로 하여 각도기로 60° 각을 그립니다.

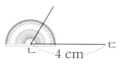

③ 점 ㄴ에서 2 cm인 거리에 점 ㄱ을 찍습니다.

④ 점 ㄱ과 점 ㄷ을 잇습니다.

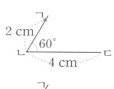
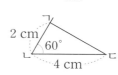

5. 한 변의 길이와 양 끝각이 주어지면 합동인 삼각형을 그릴 수 있습니다.

개념 익히기

1 합동인 도형을 모두 찾아보시오.

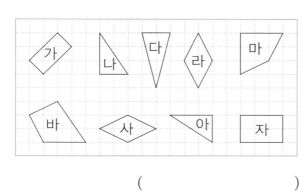

( )

2 도형을 점선을 따라 잘랐을 때, 만들어진 두 도형이 합동이 되는 것을 모두 고르시오. ( )

①   ②

③ 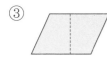 ④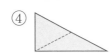

⑤

3 두 사각형은 합동입니다. 물음에 답하시오.

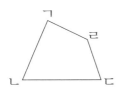 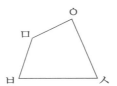

(1) 점 ㄹ의 대응점은 어느 것입니까?
( )

(2) 변 ㄱㄴ의 대응변은 어느 것입니까?
( )

(3) 각 ㄴㄷㄹ의 대응각은 어느 것입니까?
( )

4 두 사각형이 합동일 때, 다음을 구하시오.

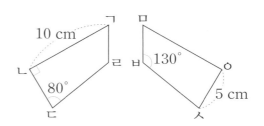

(1) 변 ㅁㅇ의 길이
( )

(2) 변 ㄴㄷ의 길이
( )

(3) 각 ㄱㄹㄷ의 크기
( )

(4) 각 ㅁㅇㅅ의 크기
( )

5 합동인 삼각형을 그릴 수 있는 것을 모두 찾아 기호를 쓰시오.

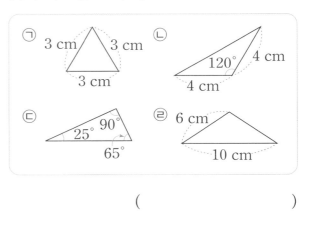

( )

동메달 따기

1 도형을 보고 물음에 답하시오.

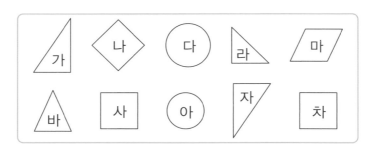

(1) 도형 가와 합동인 도형을 찾아 기호를 쓰시오.

(   )

(2) 도형 차와 합동인 도형을 모두 찾아 기호를 쓰시오.

(   )

2 도형을 점선을 따라 잘랐을 때, 잘려진 두 도형이 합동이 되는 것을 모두 찾아 기호를 쓰시오.

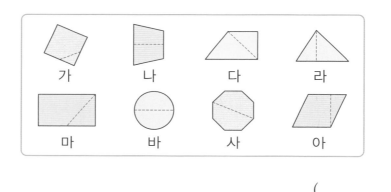

(   )

3 오른쪽 평행사변형 ㄱㄴㄷㄹ을 합동인 두 삼각형 ㄱㄴㄹ과 삼각형 ㄷㄹㄴ으로 나눈 것입니다. 변 ㄴㄷ의 대응변은 어느 것입니까?

(   )

4 반드시 합동이 되는 것을 모두 고르시오. (　　　　)

① 지름이 같은 두 원　　　　　　　② 넓이가 같은 두 직사각형
③ 둘레가 같은 두 직각삼각형　　　④ 둘레가 같은 두 정삼각형
⑤ 둘레가 같은 두 사다리꼴

5 두 사각형은 합동입니다. 물음에 답하시오.

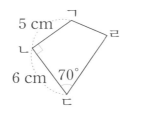 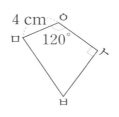

(1) 변 ㄴㄷ의 대응변을 찾아 쓰고, 그 길이를 구하시오.

(　　　　　　　　　　　)

(2) 각 ㄱㄹㄷ의 대응각을 찾아 쓰고, 그 크기를 구하시오.

(　　　　　　　　　　　)

6 삼각형 ㄱㄴㄷ과 삼각형 ㅁㄷㄹ은 합동입니다.
각 ㄱㄷㅁ의 크기는 몇 도입니까?

(　　　　　　　　)

7 두 사각형은 합동입니다. 사각형 ㄱㄴㄷ ㄹ의 둘레가 30 cm일 때, 변 ㅁㅇ의 길 이는 몇 cm인지 설명하시오.

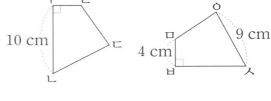

10 cm   9 cm   4 cm

8 오른쪽 삼각형과 합동인 삼각형을 그리는 순서대로 기호를 쓰 시오.

3 cm   3 cm   5 cm

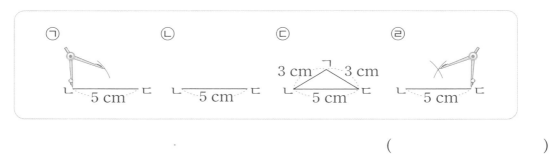

(   )

9 오른쪽 삼각형과 합동인 삼각형을 그리려고 합니다. 두 변의 길이 와 그 사이의 각의 크기를 이용하여 그릴 때, 어느 변의 길이를 더 알아야 합니까?

(   )

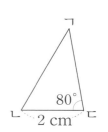

80°   2 cm

10 합동인 삼각형을 그릴 수 있는 경우는 어느 것입니까? (   )

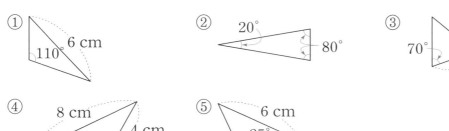

① 110° 6 cm

② 20° 80°

③ 70° 60° 3 cm

④ 8 cm 4 cm

⑤ 6 cm 25°

11 오른쪽 삼각형과 합동인 삼각형을 그릴 때, 필요하지 않은 도구는 어느 것인지 기호를 쓰시오.

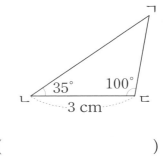

> ㉠ 자   ㉡ 컴퍼스
> ㉢ 각도기   ㉣ 연필

(   )

12 한 변의 길이가 8 cm이고, 그 양 끝각으로 <u>보기</u>에서 2개의 각을 골라 삼각형을 그리려고 합니다. 모두 몇 가지의 삼각형을 그릴 수 있습니까?

> **보기**
>
> 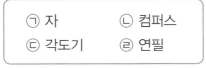 120°   80°   105°   135°   45°   30°

(   )

1 도형들을 잘라 합동인 도형 4개를 만들 수 <u>없는</u> 것을 모두 찾아 기호를 쓰시오.

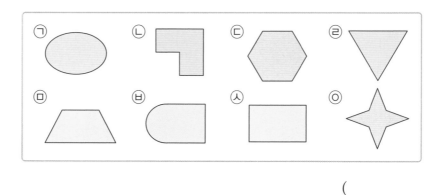

(   )

2 오른쪽과 같은 직각삼각자 2개를 변끼리 붙여 삼각형 또는 사각형을 만들 때, 만들 수 <u>없는</u> 도형을 모두 고르시오.

(   )

① 정삼각형   ② 정사각형   ③ 평행사변형
④ 이등변삼각형   ⑤ 마름모

3 삼각형 ㄱㄴㄷ과 삼각형 ㄹㄷㄴ은 합동입니다. 각 ㄹㅁㄷ의 크기는 몇 도입니까?

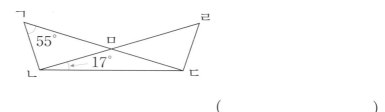

(   )

4 오른쪽 사각형 ㄱㄴㄷㄹ은 평행사변형입니다. 사각형 ㄱㄴㄷㄹ에서 합동인 삼각형은 모두 몇 쌍입니까?

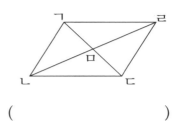

(   )

5 오른쪽 삼각형 ㄱㄷㅁ을 합동인 삼각형 4개로 나누었을 때, 각 ㄱㄴㄹ의 크기는 몇 도입니까?

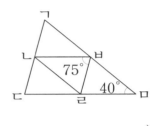

(   )

6 오른쪽 그림과 같이 합동인 두 삼각형을 겹쳐 놓았습니다. ㉠과 ㉡의 합은 몇 도입니까?

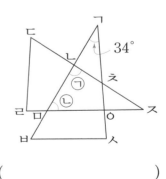

(   )

금메달 따기

생각의 샘

1 오른쪽 그림에서 사각형 ㄱㄴㄷㅅ과 사각형 ㅂㄷㄹㅁ은 모두 정사각형입니다. 선분 ㅂㄴ의 길이는 몇 cm입니까?

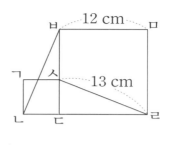

(   )

두 변의 길이와 그 사이의 각의 크기가 같은 두 삼각형은 서로 합동입니다.

2 오른쪽 그림에서 삼각형 ㄱㄴㄷ과 삼각형 ㄹㅁㄴ은 합동입니다. 각 ㄴㅁㄷ의 크기는 몇 도입니까?

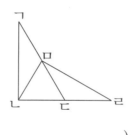

(   )

3 직사각형 모양의 종이를 오른쪽 그림과 같이 대각선으로 접었습니다. 직사각형 ㄱㄴㄷㄹ의 넓이는 몇 cm²입니까?

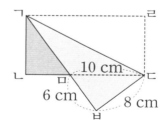

(   )

합동인 삼각형을 찾아 봅니다.

4 오른쪽 정사각형 ㄱㄴㄷㄹ에 변 ㄴㅂ과 변 ㄷㅅ의 길이가 같도록 삼각형 ㄱㄴㅂ 과 삼각형 ㄴㄷㅅ을 그렸습니다. 각 ㄱㅁ ㅅ의 크기는 몇 도입니까?

(   )

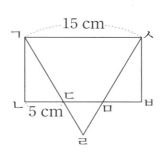

합동인 도형에서 대 응각의 크기는 같습 니다.

5 오른쪽 그림은 직사각형과 정삼각형을 겹 쳐서 그린 것입니다. 변 ㄷㄱ의 길이는 몇 cm입니까?

(   )

한 변의 길이와 그 양 끝각의 크기가 같은 두 삼각형은 서로 합동입니다.

6 오른쪽 정사각형 ㄱㄴㄹㅂ에서 선분 ㄱ ㄴ, 선분 ㄱㅅ, 선분 ㄱㅂ의 길이가 같을 때, 선분 ㄴㄷ과 선분 ㅂㅁ의 길이의 합 은 몇 cm입니까?

(   )

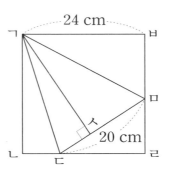

1 정다각형의 둘레를 구하시오.

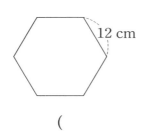

12 cm

(   )

2 둘레가 가장 긴 사각형을 찾아 기호를 쓰시오.

> ㉠ 가로가 4 cm, 세로가 6 cm인 직사각형
> ㉡ 한 변의 길이가 5 cm, 다른 변의 길이가 4 cm인 평행사변형
> ㉢ 한 변의 길이가 6 cm인 마름모

(   )

3 직사각형입니다. □ 안에 알맞은 수를 써넣으시오.

10 cm

6 cm

(직사각형의 둘레)= (10 + □) × □

           = □ (cm)

4 둘레가 36 cm인 직사각형입니다. □ 안에 알맞은 수를 써넣으시오.

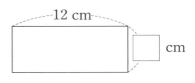

12 cm

□ cm

5 정사각형의 둘레와 넓이를 각각 구하시오.

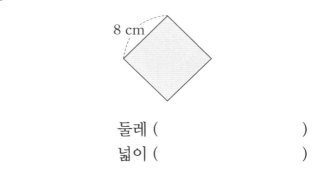

8 cm

둘레 (   )
넓이 (   )

6 다음 직사각형과 둘레가 같은 정사각형을 그리려고 합니다. 정사각형의 한 변의 길이를 몇 cm로 해야 합니까?

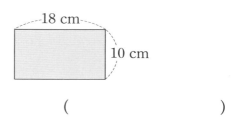

18 cm

10 cm

(   )

7 □안에 알맞은 수를 써넣으시오.

(1) 25 km² = ⬚ m²

(2) 40000000 m² = ⬚ km²

8 도형의 넓이를 구하시오.

(1)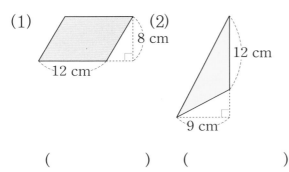
8 cm
12 cm

(2)
12 cm
9 cm

(   )   (   )

9 도형의 둘레와 넓이를 각각 구하시오.

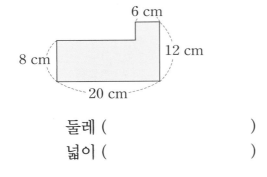
6 cm
8 cm
12 cm
20 cm

둘레 (   )

넓이 (   )

10 사다리꼴의 둘레가 70 cm일 때 넓이는 몇 cm²입니까?

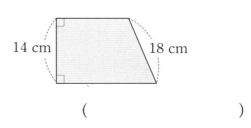
14 cm
18 cm

(   )

11 도형에서 색칠한 부분의 넓이가 144 cm² 일 때 직사각형 ㄱㄴㄷㄹ의 둘레는 몇 cm 입니까?

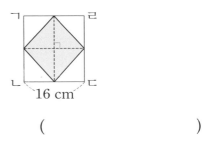
ㄱ
ㄹ
ㄴ
ㄷ
16 cm

(   )

12 오른쪽 직사각형과 넓이가 같고 밑변의 길이가 25 cm인 삼각형을 그리면 삼각형의 높이는 몇 cm가 됩니까?

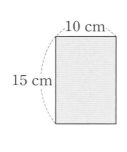

(　　　　　　)

13 □ 안에 알맞은 수를 써넣으시오.

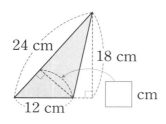

14 색칠한 부분의 넓이는 몇 cm²입니까?

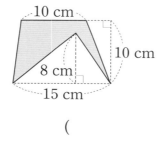

(　　　　　　)

15 왼쪽 마름모와 오른쪽 평행사변형의 넓이가 같을 때, □ 안에 알맞은 수를 써넣으시오.

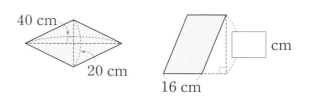

16 사각형 ㄱㄴㄷㄹ은 마름모입니다. 선분 ㄹㅁ의 길이는 몇 cm입니까?

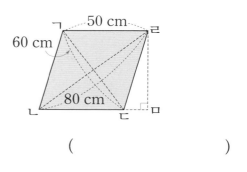

(　　　　　　)

17 두 도형은 합동입니다. ☐ 안에 알맞은 수를 써넣으시오.

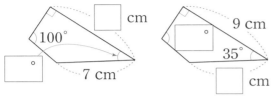

18 자와 컴퍼스만으로 합동인 삼각형을 그릴 수 있는 것을 찾아 기호를 쓰시오.

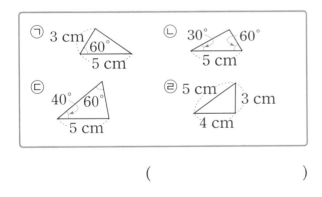

(   )

19 합동인 삼각형을 그릴 수 <u>없는</u> 것을 찾아 기호를 쓰시오.

> ㉠ 세 변의 길이가 3 cm, 5 cm, 9 cm인 삼각형
> ㉡ 한 변의 길이가 5 cm이고, 그 양 끝각의 크기가 각각 80°삼각형
> ㉢ 두 변의 길이가 각각 4 cm이고, 그 사이의 각의 크기가 90°인 삼각형

(   )

20 사각형 ㄱㄴㄷㄹ과 합동인 사각형을 그릴 때, 마지막에 그려야 하는 변은 무엇인지 설명하시오.

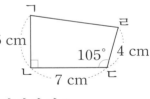

1. 선대칭도형 알아보기

한 도형을 어떤 직선으로 접었을 때 완전히 겹치는 도형을 선대칭도형이라고 합니다. 이때 그 직선을 대칭축이라고 합니다.

2. 대칭축 그리기

선대칭도형에서 대칭축의 개수는 도형의 모양에 따라 다릅니다.

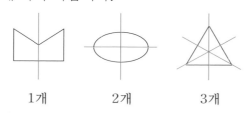

1개   2개   3개

3. 선대칭도형의 성질

(1) 선대칭도형에서 대응변의 길이와 대응각의 크기는 각각 같습니다.

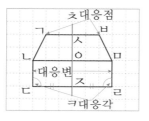

(2) 선대칭도형에서 대칭축은 대응점을 이은 선분을 이등분하므로 각각의 대응점에서 대칭축까지의 거리는 같습니다.

4. 선대칭도형 그리기

① 점 ㄴ과 대칭축 ㅁㅂ에서 같은 거리에 있는 점 ㅅ을 찍습니다.

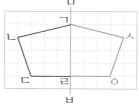

② 점 ㄷ과 대칭축 ㅁㅂ에서 같은 거리에 있는 점 ㅇ을 찍습니다.

③ 점 ㄹ과 점 ㅇ, 점 ㅇ과 점 ㅅ, 점 ㅅ과 점 ㄱ을 이어 선대칭도형을 완성합니다.

5. 점대칭도형 알아보기

한 도형을 어떤 점을 중심으로 180° 돌렸을 때 처음 도형과 완전히 겹치는 도형을 점대칭도형이라고 합니다. 이때 그 점을 대칭의 중심이라고 합니다.

180° 회전

대칭의 중심

6. 점대칭도형의 성질

(1) 점대칭도형에서 대응변의 길이와 대응각의 크기는 각각 같습니다.

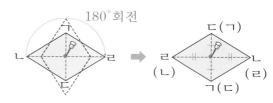

(2) 점대칭도형에서 대칭의 중심은 대응점을 이은 선분을 이등분하므로 각각의 대응점에서 대칭의 중심까지의 거리는 같습니다.

7. 점대칭도형 그리기

① 점 ㄴ에서 대칭의 중심 점 ㅁ을 지나는 직선을 긋습니다.

② 이 직선에 선분 ㄴㅁ의 길이와 같도록 점 ㅂ을 찍습니다.

③ 위 ①, ②와 같은 방법으로 점 ㄷ의 대응점 ㅅ을 찍습니다.

④ 점 ㄹ과 점 ㅂ, 점 ㅂ과 점 ㅅ, 점 ㅅ과 점 ㄱ을 각각 이어 점대칭도형을 완성합니다.

개념익히기

선대칭도형을 보고 물음에 답하시오. [1~4]

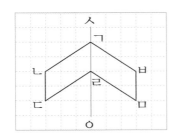

1 점 ㄴ의 대응점은 어느 것입니까?

( )

2 변 ㄷㄹ의 대응변은 어느 것입니까?

( )

3 각 ㄴㄱㄹ의 대응각은 어느 것입니까?

( )

4 점 ㄷ과 점 ㅁ을 이은 선분과 대칭축이 만나서 이루는 각의 크기는 몇 도입니까?

( )

5 선분 ㅈㅊ을 대칭축으로 하는 선대칭도형입니다. ☐ 안에 알맞은 수를 써넣으시오.

(1)
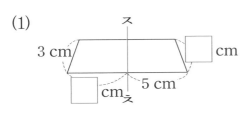

(2)
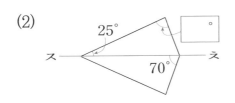

6 선분 ㅁㅂ을 대칭축으로 하는 선대칭도형이면서 점 ㅇ을 대칭의 중심으로 하는 점대칭도형입니다. 표를 완성하시오.

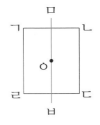

대응하는 것	선대칭도형	점대칭도형
점 ㄴ의 대응점		
변 ㄴㄷ의 대응변		
각 ㄱㄹㄷ의 대응각		

7 다음 도형은 점 ㅇ을 대칭의 중심으로 하는 점대칭도형입니다. 사각형 ㄴㄷㄹㅁ의 둘레는 몇 cm입니까?

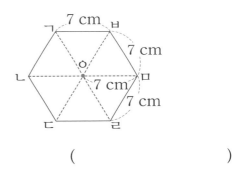

( )

8 점 ㅇ을 대칭의 중심으로 하는 점대칭도형이 되도록 그림을 완성하시오.

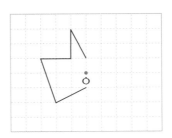

1 선대칭도형을 모두 찾아 기호를 쓰시오.

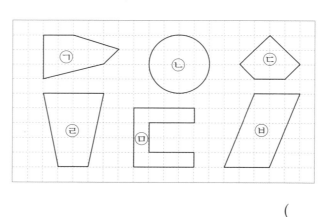

(   )

2 선대칭도형인 문자를 모두 찾아 ○표 하시오.

ㄹ ㅂ ㅅ ㅈ ㅋ ㅍ ㅎ

3 선대칭도형 중에서 대칭축의 수가 가장 많은 것은 어느 것입니까? (   )

①   ②   ③

④   ⑤

4 다음 도형은 선대칭도형입니다. 대칭축을 모두 그려 보시오.

(1)
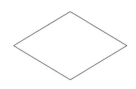

(2)

5 오른쪽 사각형 ㄱㄴㄷㄹ은 선분 ㅂㅅ을 대칭축으로 하는 선대 칭도형입니다. 변 ㄴㅁ의 길이와 각 ㅁㄷㄹ의 크기를 각각 구하 시오.

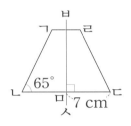

변 ㄴㅁ의 길이 (   )

각 ㅁㄷㄹ의 길이 (   )

6 선대칭도형이 되도록 그림을 완성하시오.

(1)
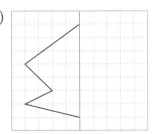

(2)
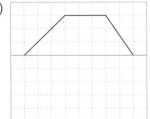

7 점대칭도형은 어느 것입니까? (   )

①

②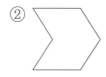

③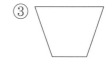

④

⑤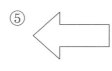

8 점대칭도형에서 대칭의 중심을 찾아 표시하시오.

(1)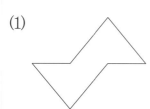

(2)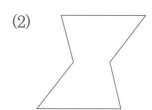

9 오른쪽 점대칭도형을 보고 물음에 답하시오.

(1) 변 ㄱㄴ의 길이는 몇 cm입니까?

(   )

(2) 각 ㅁㅂㄹ의 크기는 몇 도입니까?

(   )

(3) 선분 ㄱㄹ의 길이는 몇 cm입니까?

(   )

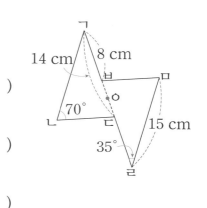

10 오른쪽 도형은 점 ㅇ을 대칭의 중심으로 하는 점대칭도형입니다. 각 ㄷㅇㄹ의 크기는 몇 도입니까?

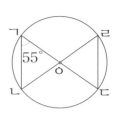

(   )

11 사각형 ㄱㄴㄷㄹ은 점대칭도형입니다. 두 대각선의 길이의 합이 32 cm일 때, 선분 ㅇㄷ의 길이는 몇 cm입니까?

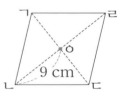

(   )

12 점대칭도형이 되도록 그림을 완성하시오.

(1)

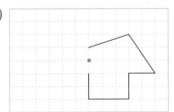

(2)

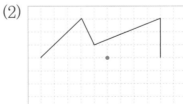

1 선대칭도형인 것은 ①, 점대칭도형인 것은 ②, 선대칭도형이면서 점대칭도형인 것은 ③으로 (   ) 안에 써넣으시오.

(   ) (   ) (   ) (   ) (   )

2 다음 중 선대칭도형이면서 점대칭도형인 문자를 모두 찾아 쓰시오.

ㄱ ㄴ ㄷ ㄹ ㅁ ㅂ ㅅ ㅇ ㅈ ㅊ ㅋ ㅌ ㅍ ㅎ

(   )

3 다음 도형은 모두 선대칭도형입니다. 대칭축의 수를 모두 더하면 몇 개입니까?

(   )

4 오른쪽 도형은 점 ㅇ을 대칭의 중심으로 하는 점대칭도형의 일부분입니다. 완성한 점대칭도형의 둘레는 몇 cm입니까?

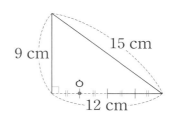

(   )

5 오른쪽 도형은 점 ㅈ을 대칭의 중심으로 하는 점대칭도형입니다. 변 ㄱㄴ의 길이와 변 ㄴㄷ의 길이가 같을 때 도형의 둘레는 몇 cm입니까?

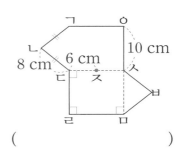

(   )

6 오른쪽 도형은 점 ㅇ을 대칭의 중심으로 하는 점대칭도형입니다. 선분 ㅂㅁ의 길이가 24 cm이고 선분 ㅇㄷ의 길이가 6 cm일 때, 선분 ㄴㅁ의 길이는 몇 cm인지 설명하시오.

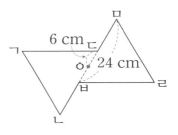

금메달 따기

생각의 샘

1 한 변이 11 cm인 정사각형 2개를 겹쳐서 오른쪽 과 같은 선대칭도형을 만들었습니다. 이 선대칭도 형의 넓이가 217 cm²일 때 둘레는 몇 cm입니까?

겹쳐진 부분은 한 변 이 몇 cm인 정사각형 인지 알아봅니다.

( )

2 점대칭도형이 되도록 그림을 완성하고, 완성한 점대칭도형의 넓이 는 몇 cm²인지 구하시오.

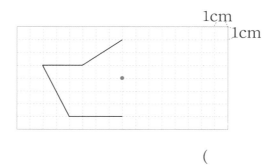

( )

3 그림에서 정사각형 2개를 옮겨서 선대칭도형 이면서 점대칭도형인 모양을 만들려고 합니 다. 만들 수 있는 모양은 모두 몇 가지입니까? (단, 정사각형을 옮길 때 변과 변이 꼭 맞게 옮 겨야 합니다.)

( )

4 삼각형 ㄴㄷㅁ은 선대칭도형이고, 사각형 ㄱㄴㄷㄹ은 점대칭도형입니다. 각 ㄱㄴㄷ의 크기가 30°이면 각 ㄷㅂㄹ의 크기는 몇 도입니까?

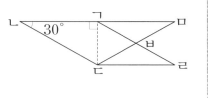

(   )

선대칭도형과 점대칭도형에서 대응각의 크기는 각각 같습니다.

5 점 ㅇ을 대칭의 중심으로 하는 점대칭도형을 완성하시오.

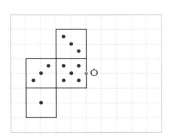

6 모눈종이에 오른쪽과 같이 다섯 개의 점이 있었습니다. 한 점을 더 찍어 모든 점을 차례로 이어 도형을 그렸더니 대각선을 대칭축으로 하는 선대칭도형이 되었습니다. 완성된 선대칭도형의 넓이는 몇 cm²입니까?

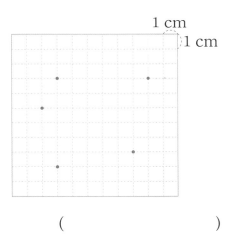

1 cm
1 cm

(   )

먼저 대칭축이 되는 대각선을 찾아봅니다.

1. 직육면체

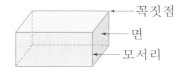

- 직육면체 : 직사각형 6개로 둘러싸인 도형
- 면 : 직육면체를 둘러싸고 있는 직사각형
- 모서리 : 면과 면이 만나는 선분
- 꼭짓점 : 모서리와 모서리가 만나는 점

2. 정육면체

크기가 같은 정사각형 6개로 둘러싸인 도형을 정육면체라고 합니다.

3. 직육면체의 면 사이의 관계

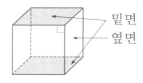

- 밑면 : 직육면체에서 평행한 두 면
- 옆면 : 직육면체에서 밑면과 수직인 면

4. 직육면체의 겨냥도

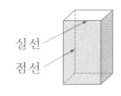

- 겨냥도 : 직육면체의 모양을 잘 알 수 있게 그린 그림
- 평행한 모서리는 평행하게 그립니다.
- 보이는 모서리는 실선으로 그립니다.
- 보이지 않는 모서리는 점선으로 그립니다.

5. 직육면체의 전개도

직육면체를 펼쳐서 평면에 그린 그림을 직육면체의 전개도라고 합니다.

6. 직육면체의 전개도 그리기

① 마주 보는 면은 합동이 되게 그립니다.
② 서로 붙는 모서리의 길이는 같게 그립니다.
③ 접는 부분은 점선으로 표시합니다.
④ 나머지 부분은 실선으로 표시합니다.
⑤ 직육면체의 전개도는 펼치는 방법에 따라 여러 가지로 그릴 수 있습니다.

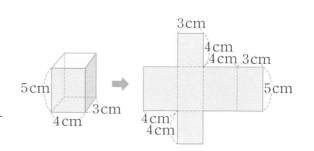

개념 익히기

1 ☐ 안에 알맞은 말을 써넣으시오.

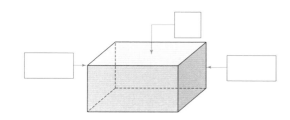

2 직육면체를 고르시오. (   )

①   ②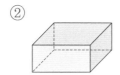

③   ④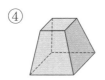

⑤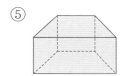

3 직육면체를 보고 ☐ 안에 알맞은 말을 써넣으시오.

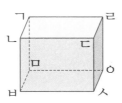

(1) 면 ㄱㄴㄷㄹ과 면 ㅁㅂㅅㅇ과 같이 평행한 두 면을 ☐ 이라고 합니다.

(2) 면 ㄱㄴㄷㄹ과 면 ㄷㅅㅇㄹ과 같이 직각으로 만나는 두 면을 서로 ☐ 이라고 합니다. 직육면체에서 밑면과 ☐ 인 면을 옆면이라고 합니다.

4 그림은 직육면체의 겨냥도입니다. 물음에 답하시오.

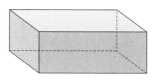

(1) 보이는 모서리는 몇 개입니까?
(   )

(2) 보이지 않는 모서리는 몇 개입니까?
(   )

(3) 보이는 꼭짓점은 몇 개입니까?
(   )

(4) 보이지 않는 꼭짓점은 몇 개입니까?
(   )

5 직육면체의 전개도를 보고 물음에 답하시오.

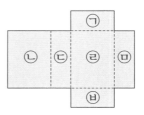

(1) 면 ㄹ과 합동인 면은 어느 면입니까?
(   )

(2) 전개도에서 합동인 면은 몇 쌍 있습니까?
(   )

(3) 전개도를 접어 직육면체를 만들 때, 면 ㅁ과 평행한 면은 어느 면입니까?
(   )

(4) 전개도를 접어 직육면체를 만들 때, 면 ㄱ에 수직인 면을 모두 쓰시오.
(   )

1 정육면체에 대한 설명으로 <u>잘못된</u> 것을 찾아 기호를 쓰시오.

> ㉠ 직육면체의 특징을 모두 가지고 있습니다.
>
> ㉡ 면의 크기는 모두 같습니다.
>
> ㉢ 모서리의 수는 8개입니다.
>
> ㉣ 정사각형 6개로 둘러싸여 있습니다.

(   )

2 직육면체와 정육면체를 보고 ☐ 안에 알맞은 수를 써넣으시오.

(1)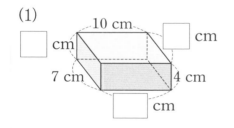

(2)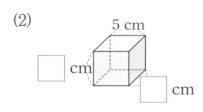

3 직육면체에서 면 ㄷㅅㅇㄹ을 밑면이라 할 때, 옆면은 모두 몇 개입니까?

(   )

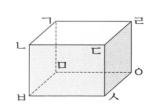

4 직육면체의 겨냥도를 바르게 그린 것은 어느 것입니까? (   )

① 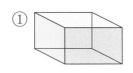 ② 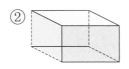 ③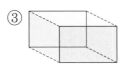

④ 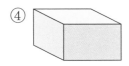 ⑤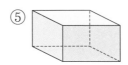

5 직육면체의 겨냥도를 그리는 방법으로 옳지 <u>않은</u> 것은 어느 것입니까? (   )

① 평행한 모서리는 평행하게 그립니다.
② 모서리는 모두 실선으로 그립니다.
③ 모서리의 수가 12개가 되도록 그립니다.
④ 면의 수가 6개가 되도록 그립니다.
⑤ 보이는 꼭짓점의 수가 7개가 되도록 그립니다.

6 직육면체의 겨냥도를 완성하시오.

(1) 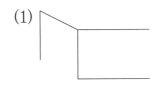   (2)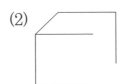

7 직육면체의 전개도를 보고 물음에 답하시오.

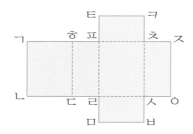

(1) 면 ㅎㄷㄹㅍ과 평행한 면은 어느 면입니까?

(   )

(2) 점 ㅋ과 맞닿게 되는 점을 모두 찾아 쓰시오.

(   )

(3) 변 ㅌㅋ과 맞닿는 변을 찾아 쓰시오.

(   )

8 다음은 직육면체의 전개도를 그린 것입니다. ㉠, ㉡, ㉢에 알맞은 길이를 각각 구하시오.

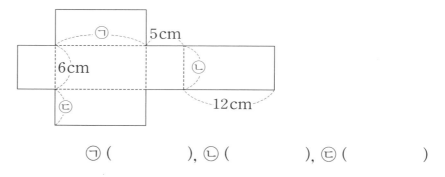

㉠ (   ), ㉡ (   ), ㉢ (   )

9 다음은 직육면체를 전개도로 나타낸 것입니다. ㉠, ㉡, ㉢에 알맞은 길이를 각각 구하시오.

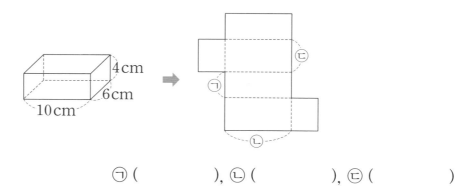

㉠ (   ), ㉡ (   ), ㉢ (   )

10 정육면체의 전개도가 <u>아닌</u> 것은 어느 것입니까? (　　　　)

① 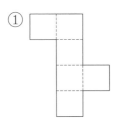　② 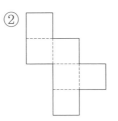　③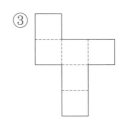

④ 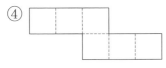　⑤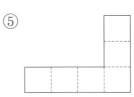

11 오른쪽은 정육면체의 전개도입니다. 평행한 면끼리의 수의 합이 7
이 되도록 ㉠, ㉡, ㉢에 알맞은 수를 각각 구하시오.

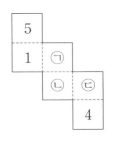

㉠ (　　　　　　), ㉡ (　　　　　　), ㉢ (　　　　　　)

12 오른쪽 도형에 나머지 한 면을 붙여 정육면체의 전개
도를 완성하려고 합니다. 나머지 한 면의 위치로 알맞
은 곳의 기호를 모두 쓰시오.

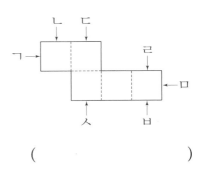

(　　　　　　　　　　)

1 다음 정육면체의 겨냥도를 보고 전개도의 ( ) 안에 알맞은 기호를 써넣으시오.

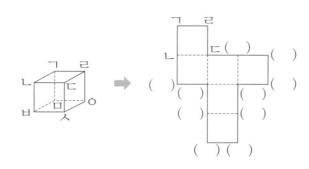

2 다음 그림과 같은 전개도로 직육면체를 만들었을 때, 모든 모서리의 길이의 합은 몇 cm가 되겠습니까?

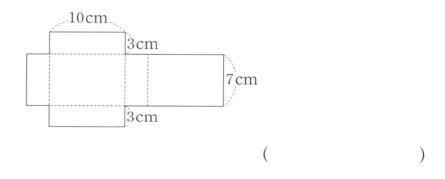

(   )

3 다음과 같이 직육면체에 선을 그었습니다. 선이 지나간 자리를 전개도에 나타내시오.

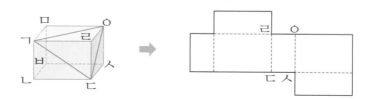

4 오른쪽 직육면체의 전개도에서 색칠한 부분의 둘레를 구하시오.

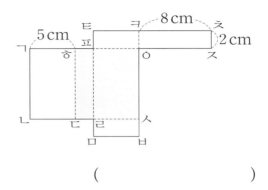

(   )

5 정육면체의 전개도에 선을 그은 후 접었을 때 정육면체에는 선이 어떻게 나타나는지 그려 보시오.

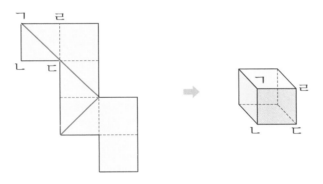

6 다음과 같은 정육면체 모양의 그릇에 물을 반이 되도록 넣었습니다. 물이 닿는 부분을 오른쪽 전개도에 그려 넣으시오.

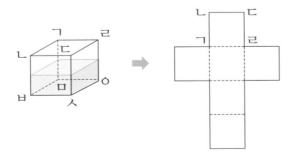

금메달따기

생각의 샘

1 오른쪽은 왼쪽 정육면체의 전개도입니다. 전개도의 □ 안에 알맞은 기호를 써넣고, 정육면체의 모서리 ㅇㅅ을 전개도에서 모두 찾아 표시하시오.

전개도를 접었을 때 서로 만나는 꼭짓점의 기호는 같습니다.

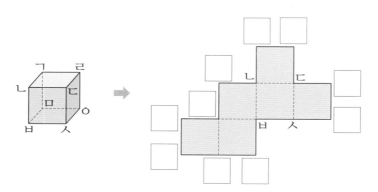

2 직육면체의 꼭짓점을 이어 그림과 같이 선분을 그렸습니다. 이 직육면체의 전개도에 선분을 알맞게 그려 넣으시오.

겨냥도를 보고 전개도에 기호를 붙여 봅니다.

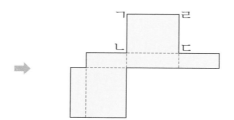

3 한 변이 50 cm인 정사각형 모양의 도화지에서 색칠한 부분을 오려 내고 남은 종이로 직육면체를 만들었습니다. 이때 만든 직육면체의 서로 다른 세 모서리의 길이는 각각 몇 cm입니까?

먼저 남은 종이로 만들 수 있는 직육면체의 전개도를 그려 봅니다.

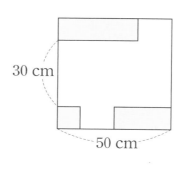

30 cm

50 cm

(   )

76 | 5학년이 꼭 알아야 할 도형 |

4 그림과 같이 정육면체의 마주 보는 두 면에 반대 방향으로 흰색 화살표와 검은색 화살표가 그려져 있습니다. 다음 각 전개도에 알맞은 화살표를 방향에 맞게 그려 넣으시오.

화살표의 방향을 생각합니다.

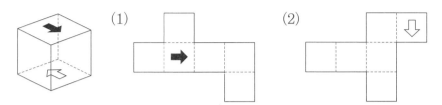

(1)   (2)

5 정육면체의 면을 왼쪽과 같이 보이는 면에만 색칠하였습니다. 점 ㅈ은 모서리 ㄴㅂ의 가운데 있는 점입니다. 이 정육면체의 전개도를 오른쪽과 같이 그렸을 때, 색칠한 면을 전개도에서 찾아 색칠하시오.

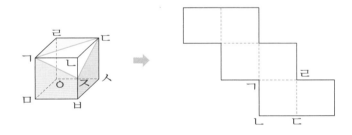

6 다음과 같은 크기의 도화지가 여러 장 있습니다. 이 도화지들을 면으로 하는 서로 다른 크기의 정육면체와 직육면체를 만들려고 합니다. 만들 수 있는 정육면체와 직육면체는 모두 몇 개입니까?

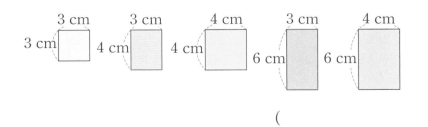

(   )

8. 정다면체의 활용

1. 정육면체의 방향성

평행한 면의 수의 합이 7인 정육면체를 위에서 내려다 본 모양으로 간략히
표현하여 보면 다음 그림과 같습니다.

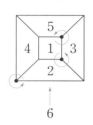

이 그림을 통해 알 수 있는 점은 다음과 같습니다.

(1) 1—2—3, 1—3—5, 2—4—6 등은 정육면체의 한
꼭짓점을 중심으로 시계 반대 방향으로 돕니다.

(2) 어느 한 꼭짓점을 중심으로 시계 반대 방향으로 돌려
보면 놓여진 수가 무엇인지 쉽게 파악할 수 있습니다.

⑩ 각 면에 수가 쓰인 왼쪽 정육면체 2개를 겹치는 면의 수의 합이 5가 되도록 붙여 놓았습니다.
면 ㉠에 올 수를 구하시오.

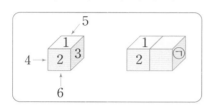

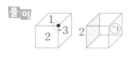

두 정육면체를 떼어 놓고 생각하면 색칠
한 면은 2이므로 ㉠에 올 수는 7—2=5
입니다.

2. 입체도형 움직이기

⑩ 왼쪽 정육면체를 색칠한 칸에 올려 놓고 미끄럼없이 한 칸씩 굴려나갈 때 각 칸마다 정육면체의
밑면에 위치한 수 알기

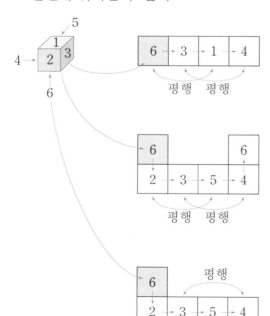

➡ 한 칸 건너 합이 7이 되며, 이것은 서로 평행한
면임을 알 수 있습니다.

➡ 출발 지점에 정육면체를 놓고 움직여 간다고
생각할 때, 끝 지점에서 정육면체가 다시 세워지므로
끝 지점의 밑면에 위치한 수는 6으로 같아집니다.

➡ 출발 지점에 정육면체를 놓고 움직여 간다고
생각할 때, 끝 지점에서는 정육면체를 뒤집어 세워
놓은 모양이 되므로 출발 지점의 면과 끝 지점의
면은 서로 평행한 면입니다.
따라서 끝 지점의 밑면에 위치한 수는 1입니다.

개념익히기

다음은 평행한 면의 수의 합이 7인 정육면체를 나타낸 것입니다. 물음에 답하시오.

[1~3]

1 1, 2, 3이 쓰여진 면과 평행한 면에 쓰여진 수를 각각 쓰시오.

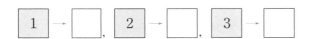

2 2가 쓰여진 면과 수직인 면에 쓰여진 수의 합을 구하시오.

( )

3 위의 정육면체를 5번 던져 맨 윗면에 나온 수의 합이 15였다면 맨 아랫 면에 있던 수의 합은 얼마입니까?

( )

평행한 면의 수의 합이 7인 정육면체를 미끄럼없이 한 칸씩 굴려 밑면에 닿은 수를 적어갈 때, ★표 위에 있는 정육면체의 밑면에 있는 수를 구하시오. [4~6]

4

6	3			★

( )

5

6	3		

| | | | ★ |

( )

6

			★

| 5 | 3 | | |

| 6 | | | |

( )

💡 다음 주사위 모양은 한 꼭짓점을 중심으로 시계 반대 방향으로 1, 2, 3이 적혀 있으며, 평행한 면끼리의 수의 합은 7입니다. 물음에 답하시오. [1~3]

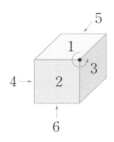

1 주사위 모양의 그림에서 면 ㉠에 올 수를 구하시오.

(   )

2 주사위 모양의 그림에서 면 ㉮와 ㉯에 올 수를 각각 구하시오.

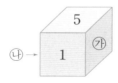

(   )

3 겹치는 면의 수의 합이 8이 되도록 붙여 놓았습니다. 면 ㉠에 올 수를 구하시오.

(   )

4 오른쪽 주사위는 마주 보고 있는 면의 눈의 합이 7입니다. 2의 눈이 그려 진 면과 수직인 면이 <u>아닌</u> 것은 어느 것입니까? (   )

①   ②   ③

④   ⑤

5 다음 전개도로 만든 정육면체를 찾아 기호를 쓰시오.

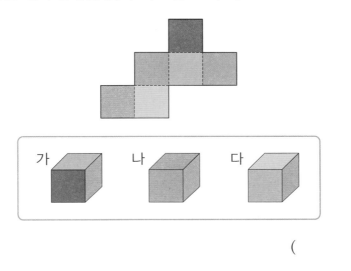

(   )

6 마주 보는 면의 눈의 합이 7이 되도록 전개도의 빈 곳에 눈을 그려 넣으시오

(1) 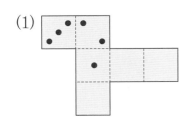   (2)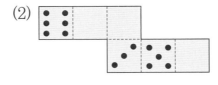

7 다음 각 면에 서로 다른 모양이 그려진 정육면체를 여러 방향에서 본 것입니다. ▲ 모양이 그려진 면과 평행한 면에 그려진 모양은 무엇입니까? (단, 모양의 방향은 생각하지 않습니다.)

(   )

8 가 주사위 2개를 나와 같은 모양으로 놓았습니다. 나에서 겹치는 면의 눈의 합이 10이 되도록 하였을 때, ㉠과 ㉡의 눈의 합은 얼마입니까? (단, 주사위의 마주 보는 면의 눈의 합은 7입니다.)

(   )

9 오른쪽 전개도로 만든 정육면체는 어느 것입니까? (단, 문자의 방향은 생각하지 않습니다.) (   )

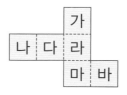

①   ②

③   ④   ⑤

[그림 1]의 정육면체를 [그림 2]의 색칠한 칸 위에 올려 놓고 화살표 방향으로 미끄럼 없이 굴렸습니다. 물음에 답하시오. [10~12]

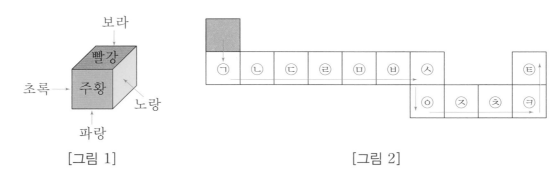

[그림 1]   [그림 2]

10 ㉠에 온 정육면체의 밑면과 같은 색이 되는 면의 기호를 찾아 쓰시오.

(   )

11 ㉣과 ㉧에 온 정육면체의 밑면의 색을 각각 구하시오.

(   )

12 ㉠~㉧까지 올 정육면체의 밑면의 색을 모두 구하시오.

1 [그림 1]과 같은 입체도형 2개를 쌓아올려 [그림 2]와 같이 만들었습니다. 겹쳐져 있는 면의 수의 합을 구하시오.

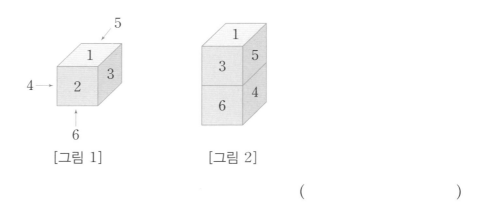

[그림 1]   [그림 2]

(   )

💡 빨강, 주황, 노랑, 초록, 파랑, 보라 6가지의 색이 똑같은 순서로 배열된 정육면체 3개를 쌓아놓은 모양입니다. 물음에 답하시오. [2~3]

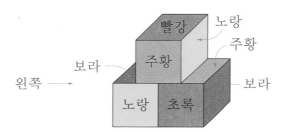

2 빨강, 주황, 노랑과 맞은 편에 있는 색을 각각 구하시오.

(   )

3 왼쪽 방향에서 볼 때 보이는 색을 모두 쓰시오.

(   )

바둑판 모양으로 선이 그어진 판자의 색칠된 칸에 밑면의 수가 3이 되도록 주사위 모양의 정육면체를 놓고 화살표 방향으로 미끄럼없이 굴렸습니다. 물음에 답하시오. [4~6]

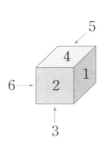
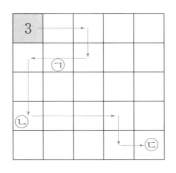

4 정육면체가 ㉠에 왔을 때 밑면에 위치한 수는 무엇인지 구하시오.

(   )

5 정육면체가 ㉡과 ㉢에 왔을 때 밑면에 위치한 수를 각각 구하시오.

(   )

6 정육면체가 지나는 경로마다 밑면에 위치한 수를 순서대로 모두 구하시오.

(   )

금메달 따기

💡 네 면이 모두 정삼각형인 삼각뿔의 정면은 빨강, 뒷면은 노랑, 파랑, 밑면에는 초록색이 칠해져 있습니다. 물음에 답하시오. [1~3]

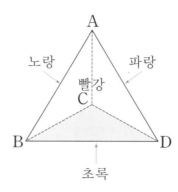

1 삼각뿔을 색칠한 부분에 초록면이 닿도록 올려 놓고 미끄럼없이 굴려갈 때, 오른쪽 그림의 ㉮, ㉯, ㉰의 점에는 각각 A, B, C, D 중 어느 꼭짓점이 오는지 구하시오.

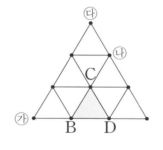

( )

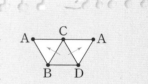

2 위 **1**번과 같은 방법으로 굴려갈 때, 노랑이 밑면이 되는 것은 모두 몇 번 있는지 구하시오.

( )

노랑인 면은 삼각형 ABC입니다.

3 위 **1**번과 같은 방법으로 굴려갈 때, 빨강이 밑면이 되는 것은 모두 몇 번 있는지 구하시오.

( )

빨강인 면은 삼각형 ABD입니다.

전개도를 직접 그려서 정육면체를 만들어 봅니다.

4 정육면체의 전개도를 나타낸 것입니다. 이 도형의 겨냥도의 빠진 부분에 해당하는 기호를 알맞게 써넣으시오. (단, 문자의 방향은 생각하지 않습니다.)

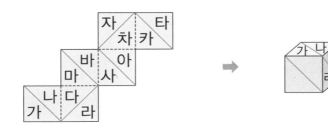

5 오른쪽 [그림 1]과 같이 숫자가 쓰여진 정육면체를 쌓아 [그림 2]를 만들었습니다. 겹쳐진 2개의 면의 숫자의 합이 8이라고 할 때, ㉠, ㉡, ㉢ 면의 숫자는 각각 얼마입니까? (단, 마주보는 면의 숫자의 합은 7입니다.)

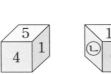
[그림 1]

[그림 2]

(1) ㉠ 면의 숫자를 구하시오.

(   )

(2) ㉡ 면의 숫자를 구하시오.

(   )

(3) ㉢ 면의 숫자를 구하시오.

(   )

6 오른쪽 그림과 같이 각 면에 1, 2, 3, 4, 5, 6의 6개의 숫자가 똑같은 순서로 적혀 있는 정육면체를 4개 쌓아 놓았습니다. 2의 맞은 편에 있는 숫자는 무엇입니까?

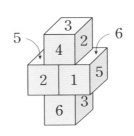

(   )

개념 확인

1. 도형의 배열에서 규칙 찾기

〈도형의 배열〉

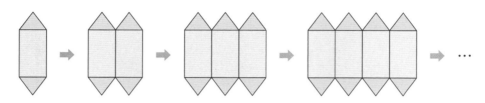

- 사각형이 10개일 때 필요한 삼각형의 개수 : $10 \times 2 = 20$(개)
- 삼각형이 100개일 때 필요한 사각형의 개수 : $100 \div 2 = 50$(개)

〈바둑돌의 배열〉

첫 번째   두 번째   세 번째   네 번째

- 10번째에 놓일 모양의 바둑돌 수 : $1 + 2 + 3 + \cdots + 10 = (1 + 10) \times 5 = 55$(개)
- 10번째에 놓일 모양에서 흰색 바둑돌과 검은색 바둑돌의 개수의 차 :
  $(2 + 4 + 6 + 8 + 10) - (1 + 3 + 5 + 7 + 9) = 5$(개)

2. 삼각형의 개수 찾기

- 다음 도형에서 찾을 수 있는 크고 작은 삼각형의 개수는 아래와 같습니다.

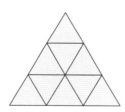

① 1칸으로 이루어진 삼각형

△ 모양 → 6개, ▽ 모양 → 3개

③ 9칸으로 이루어진 삼각형

모양 → 1개

② 4칸으로 이루어진 삼각형

모양 → 3개

따라서 삼각형은 모두 $6 + 3 + 3 + 1 = 13$(개)를 찾을 수 있습니다.

개념 익히기

사각판과 삼각판으로 규칙적인 배열을 만들고 있습니다. 물음에 답하시오. [1~3]

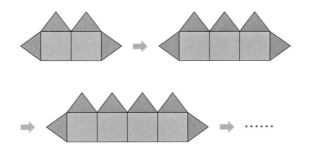

1 모양에서 사각판과 삼각판의 수가 어떻게 변하는지 표를 이용하여 알아보시오.

사각판의 수(개)	2	3	4		......
삼각판의 수(개)					......

2 사각판이 10개일 때 삼각판은 몇 개 필요합니까?

( )

3 삼각판이 50개일 때 사각판은 몇 개 필요합니까?

( )

4 다음과 같은 규칙으로 바둑돌을 놓을 때 10번째에 놓이는 바둑돌 수를 구하시오.

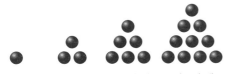

첫 번째 두 번째 세 번째 네 번째

( )

다음과 같은 규칙으로 사각형을 만들어 갈 때, 물음에 답하시오. [5~6]

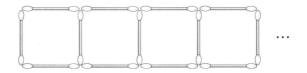

5 사각형의 개수를 한 개씩 늘일 때마다 면봉은 몇 개씩 늘어납니까?

( )

6 정사각형 100개를 만들려면 면봉은 몇 개가 있어야 합니까?

( )

7 오른쪽 그림에서 찾을 수 있는 크고 작은 정삼각형은 모두 몇 개인지 알아보려고 합니다. 물음에 답하시오.

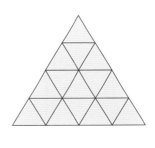

(1) 1칸으로 이루어진 삼각형은 몇 개입니까? ( )

(2) 4칸으로 이루어진 삼각형은 몇 개입니까? ( )

(3) 9칸으로 이루어진 삼각형은 몇 개입니까? ( )

(4) 16칸으로 이루어진 삼각형은 몇 개입니까? ( )

(5) 찾을 수 있는 크고 작은 삼각형은 모두 몇 개입니까? ( )

1 다음과 같이 규칙적으로 바둑돌을 놓아갈 때 10번째 모양에 놓이는 바둑돌은 모두 몇 개입니까?

첫 번째   두 번째   세 번째   …

(   )

2 다음과 같이 면봉을 이용하여 규칙적으로 정사각형을 만들어갈 때 10번째 모양에 놓이는 면봉은 모두 몇 개입니까?

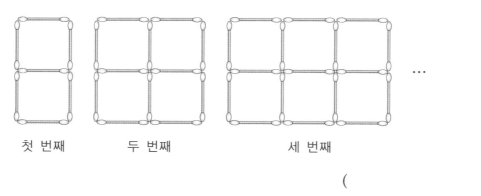

첫 번째   두 번째   세 번째   …

(   )

3 다음 도형에서 찾을 수 있는 크고 작은 정삼각형은 모두 몇 개입니까?

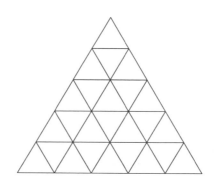

(   )

한 변의 길이가 2 cm인 정사각형 모양의 종이를 이용하여 다음과 같이 규칙적으로 계단 모양의 도형을 만들어 갑니다. 물음에 답하시오. [4~6]

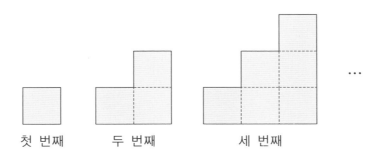

첫 번째   두 번째   세 번째

4 열 번째에 올 도형의 넓이는 몇 cm^{2}인지 구하시오.

(   )

5 도형의 넓이가 112 cm^{2}가 되는 때는 몇 번째 도형인지 구하시오.

(   )

6 첫 번째 도형의 꼭짓점의 수는 4개이고 두 번째 도형의 꼭짓점의 수는 6개입니다. 꼭짓점의 수가 60개가 되는 때는 몇 번째 도형인지 구하시오.

(   )

💡 흰색과 검은색 두 종류의 정삼각형 종이를 그림과 같이 규칙적으로 늘어놓습니다. 물음에 답하시오. [7~9]

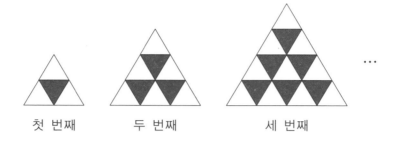

첫 번째　　　두 번째　　　　세 번째

7 30번째에 올 그림에서 사용되는 검은색 정삼각형 종이는 몇 장인지 구하시오.

(　　　　　　　　　)

8 사용되는 흰색 정삼각형 종이가 210장인 그림은 몇 번째에 올 그림인지 구하시오.

(　　　　　　　　　)

9 50번째까지 늘어놓았을 때, 사용되는 흰색과 검은색 정삼각형 종이의 차이는 모두 몇 장인지 구하시오.

(　　　　　　　　　)

한 변의 길이가 1 cm인 정사각형을 이용하여 다음과 같은 도형을 만들어 갑니다. 물음에 답하시오. [10~12]

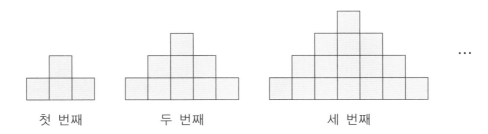

첫 번째   두 번째   세 번째   ...

10 49개의 작은 정사각형으로 이루어진 도형의 둘레의 길이를 구하시오.

(   )

11 도형의 둘레의 길이가 52 cm인 경우는 몇 번째에 올 그림인지 구하시오.

(   )

12 몇 번째 그림에서 작은 정사각형의 개수가 처음으로 1000개 이상이 되는지 구하시오.

(   )

💡 흰색 정육각형의 둘레에 검은색, 검은색 정육각형의 둘레에 흰색을 놓는 규칙으로 늘어놓습니다. 물음에 답하시오. [1~3]

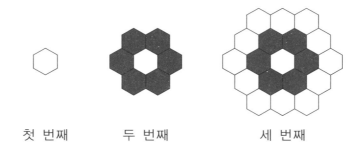

첫 번째   두 번째   세 번째

1 다섯 번째에 올 그림에서 사용되는 정육각형은 모두 몇 개인지 구하시오.

(   )

2 여섯 번째에 올 그림에서 사용되는 검은색 정육각형은 몇 개인지 구하시오.

(   )

3 10번째에 올 그림에서 사용되는 검은색 정육각형과 흰색 정육각형의 개수의 차이를 구하시오.

(   )

💡 다음 도형을 보고 물음에 답하시오. [4~5]

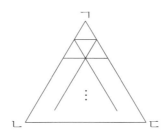

4 변 ㄱㄴ, 변 ㄴㄷ, 변 ㄱㄷ을 각각 6등분 하여 위와 같은 방법으로 그렸을 때, 찾을 수 있는 삼각형은 모두 몇 개입니까?

( )

5 변 ㄱㄴ, 변 ㄴㄷ, 변 ㄱㄷ을 각각 9등분 하여 위와 같은 방법으로 그렸을 때, 찾을 수 있는 삼각형은 모두 몇 개입니까?

( )

6 다음 보기와 같은 도형 100개를 이어 붙여 만든 도형에서 찾을 수 있는 삼각형은 모두 몇 개인지 구하시오.

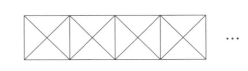

( )

금메달 따기

💡 성냥개비를 이용하여 다음과 같이 피라미드 모양을 만들어 갑니다. 물음에 답하시오. [1~3]

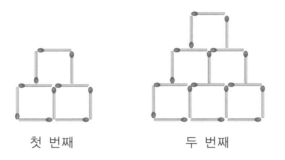

첫 번째   두 번째

가로와 세로에 놓인 성냥개비의 개수는 서로 같습니다.

1 4번째에 올 그림에서 사용되는 성냥개비의 개수를 구하시오.

(   )

2 20번째에 올 그림에서 사용되는 성냥개비의 개수를 구하시오.

(   )

3 154개의 성냥개비를 사용하여 만들 수 있는 피라미드 모양은 몇 번째 그림인지 구하시오.

(   )

가로로 놓인 성냥개비의 개수는 154÷2=77(개)입니다.

💡 다음과 같이 면봉을 이용하여 규칙적으로 정육각형 모양을 만들어 나 갈 때 물음에 답하시오. [4~7]

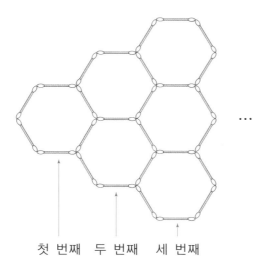

첫 번째   두 번째   세 번째

4 첫 번째 모양에서 두 번째 모양을 만들기 위해서는 몇 개의 면봉이 더 있어야 합니까?

(   )

5 두 번째 모양에서 세 번째 모양을 만들기 위해서는 몇 개의 면봉이 더 있어야 합니까?

(   )

6 세 번째 모양에서 네 번째 모양을 만들기 위해서는 몇 개의 면봉이 더 있어야 합니까?

(   )

7 첫 번째 모양부터 10번째 모양까지 만들기 위해서는 모두 몇 개의 면봉이 있어야 합니까?

(   )

10. 도형 세기

1. 사각형의 개수 세기

• 가로 한 줄에서 찾을 수 있는 사각형의 개수와 세로 한 줄에서 찾을 수 있는 사각형의 개수를 구하여 서로 곱합니다.

1칸짜리 : 12개   2칸짜리 : 17개
3칸짜리 : 10개   4칸짜리 : 9개
6칸짜리 : 7개   8칸짜리 : 2개
9칸짜리 : 2개   12칸짜리 : 1개

➡ $12+17+10+9+7+2+2+1=60$(개)

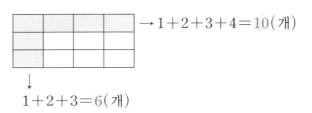

→ $1+2+3+4=10$(개)

↓

$1+2+3=6$(개)

➡ $10 \times 6 = 60$(개)를 찾을 수 있습니다.

2. 대각선이 있는 도형에서 사각형의 개수 세기

• 오른쪽 도형에서 찾을 수 있는 사각형의 개수는 아래와 같이 구합니다.
① 먼저, 대각선 ㉠과 ㉡이 없는 것으로 생각하고 사각형의 개수를 구합니다.

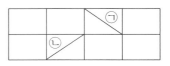

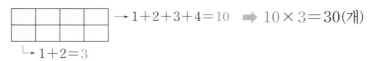

→ $1+2+3+4=10$ ➡ $10 \times 3 = 30$(개)

↳ $1+2=3$

② 대각선 ㉠ 또는 ㉡을 포함하는 사각형이 몇 개인지 찾습니다.
  i) 대각선 ㉠을 포함하는 사각형 ➡ 4개

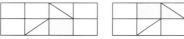

  ii) 대각선 ㉡을 포함하는 사각형 ➡ 4개

따라서 주어진 도형에서 찾을 수 있는 사각형은 모두 $30+8=38$(개)입니다.

3. 특정한 부분이 포함된 사각형의 개수 세기

[방법 1] ☆을 포함하는 사각형은 ☆, ☆, ☆, ☆, ☆,

☆ 으로 모두 6개입니다.

[방법 2] 2칸

☆

3칸

➡ $2 \times 3 = 6$(개)

개념 익히기

1 오른쪽 도형에서 찾을 수 있는 사각형의 개수를 알아보려고 합니다. ☐ 안에 알맞은 수를 써넣으시오.

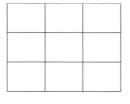

〈방법 1〉
- 사각형 1개짜리 ☐ 개
- 사각형 2개짜리 ☐ 개
- 사각형 3개짜리 ☐ 개
- 사각형 4개짜리 ☐ 개
- 사각형 6개짜리 ☐ 개
- 사각형 9개짜리 ☐ 개

➡ ☐ + ☐ + ☐ + ☐ + ☐ + ☐ = ☐ (개)

〈방법 2〉
- 가로 한 줄에서 찾을 수 있는 사각형의 개수 : ☐ + ☐ + ☐ = ☐ (개)
- 세로 한 줄에서 찾을 수 있는 사각형의 개수 : ☐ + ☐ + ☐ = ☐ (개)

➡ ☐ × ☐ = ☐ (개)

2 오른쪽 도형에서 찾을 수 있는 정사각형의 개수를 알아보시오.

- 사각형 1개짜리 : ☐ 개
- 사각형 4개짜리 : ☐ 개
- 사각형 9개짜리 : ☐ 개

➡ ☐ + ☐ + ☐ = ☐ (개)

3 다음 도형에서 찾을 수 있는 사각형의 개수를 알아보려고 합니다. ☐ 안에 알맞은 수를 써넣으시오.

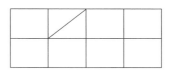

- 대각선이 없는 것으로 생각하고 사각형의 개수를 구하면

(☐ + ☐ + ☐ + ☐) × (☐ + ☐) = ☐ × ☐ = ☐ (개)입니다.

- 대각선을 포함하는 사각형의 개수를 구하면 ☐ 개입니다.

따라서 모든 사각형의 개수는 모두 ☐ + ☐ = ☐ 입니다.

4 다음 도형에서 ☆이 포함된 사각형의 개수를 알아보려고 합니다. ☐ 안에 알맞은 수를 써넣으시오.

- 가로 한 줄에서 찾을 수 있는 ☆이 포함된 사각형의 개수 : ☐ 개
- 세로 한 줄에서 찾을 수 있는 ☆이 포함된 사각형의 개수 : ☐ 개

➡ ☐ × ☐ = ☐ (개)

1 다음 도형에서 찾을 수 있는 사각형은 모두 몇 개인지 구하시오.

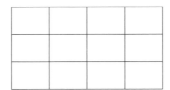

(   )

2 다음 도형에서 찾을 수 있는 사각형은 모두 몇 개인지 구하시오.

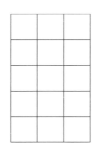

(   )

3 다음 도형에서 찾을 수 있는 정사각형은 모두 몇 개인지 구하시오.

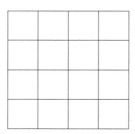

(   )

다음과 같이 도형 (가)와 (나)를 겹쳐 놓았습니다. 물음에 답하시오. [4~5]

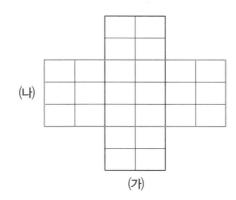

(나)

(가)

4 도형 (가)와 (나)가 겹친 부분에서 찾을 수 있는 사각형은 모두 몇 개입니까?

(   )

5 위 도형에서 찾을 수 있는 사각형은 모두 몇 개입니까?

(   )

6 다음 도형에서 ☆을 포함하는 사각형은 모두 몇 개인지 구하시오.

		☆				

(   )

7 다음 도형에서 찾을 수 있는 사각형은 모두 몇 개인지 구하시오.

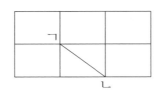

(   )

8 다음 도형에서 찾을 수 있는 사각형은 모두 몇 개인지 구하시오.

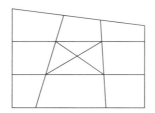

(   )

9 다음 도형에서 찾을 수 있는 사각형은 모두 몇 개인지 구하시오.

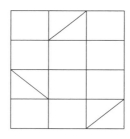

(   )

10 직사각형 ㄱㄴㄷㄹ을 그림과 같이 크기가 같은 여러 개의 작은 직사각형이 되도록 그렸더니, 찾을 수 있는 크고 작은 직사각형이 60개였습니다. 몇 개의 가장 작은 직사각형이 되도록 그렸는지 구하시오.

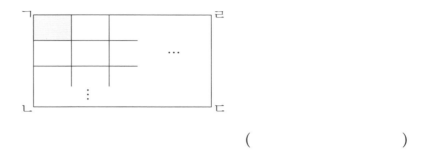

(   )

11 정사각형 ㄱㄴㄷㄹ을 그림과 같이 크기가 같은 여러 개의 작은 정사각형이 되도록 그렸더니, 찾을 수 있는 크고 작은 정사각형이 14개였습니다. 몇 개의 가장 작은 정사각형이 되도록 그렸는지 구하시오.

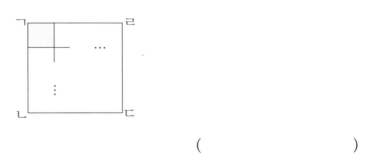

(   )

12 다음 도형에서 찾을 수 있는 사각형은 모두 몇 개인지 구하시오.

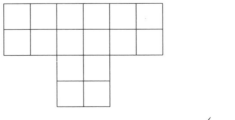

(   )

1 다음 도형에서 찾을 수 있는 정사각형은 모두 몇 개인지 구하시오.

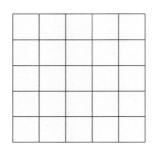

(   )

2 다음 도형에서 ♥를 포함하는 사각형은 모두 몇 개인지 구하시오.

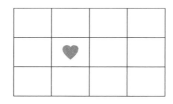

(   )

3 다음 도형에서 ㉠~㉢ 중 어느 한 곳에 ★을 그려 넣고, ★을 포함하는 사각형의 개수를 세어 보니 8개였습니다. ★을 그려 넣을 수 있는 위치를 있는대로 모두 구하시오.

㉠	㉡	㉢	㉣	㉤

(   )

4 다음 도형에서 찾을 수 있는 사각형은 모두 몇 개인지 구하시오.

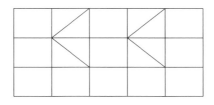

(   )

5 다음 도형에서 찾을 수 있는 사각형은 모두 몇 개인지 구하시오.

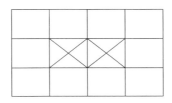

(   )

6 다음 도형에서 찾을 수 있는 사각형은 모두 몇 개인지 구하시오.

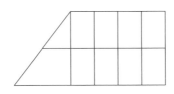

(   )

금메달 따기

1 다음 도형에서 찾을 수 있는 사각형은 모두 몇 개인지 구하시오.

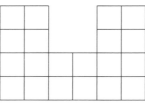

(   )

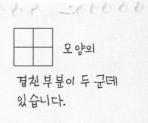

모양의

겹친 부분이 두 군데 있습니다.

2 가로 15 cm, 세로 8 cm인 직사각형 ㄱㄴㄷㄹ을 크기가 같은 여러 개의 작은 직사각형이 되도록 그렸더니, 찾을 수 있는 크고 작은 직사각형이 150개였습니다. 가장 작은 직사각형 1개의 넓이는 몇 cm²인지 구하시오.

150=15×10=(1+2+3+4+5)×(1+2+3+4)

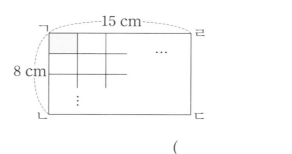

(   )

3 다음 도형에서 ☆을 포함하는 사각형은 모두 몇 개인지 구하시오.

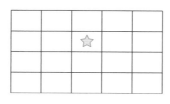

(   )

가로 한 줄과 세로 한 줄에서 찾을 수 있는 개수끼리의 곱으로 구합니다.

4 다음 도형에서 ☆을 포함하는 사각형은 모두 몇 개인지 구하시오.

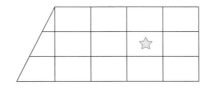

(   )

5 다음 도형에서 찾을 수 있는 사각형은 모두 몇 개인지 구하시오.

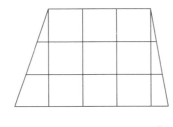

(   )

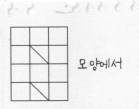

모양에서

찾을 수 있는 사각형의
개수부터 구합니다.

6 다음 도형에서 찾을 수 있는 사각형은 모두 몇 개인지 구하시오.

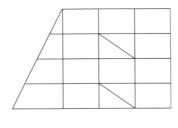

(   )

모양에서

찾을 수 있는 사각형의
개수부터 구합니다.

1 선대칭도형에서 대칭축이 되는 것을 모두 고르시오. (   )

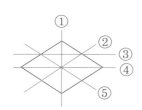

2 정팔각형의 대칭축은 몇 개입니까?

(   )

3 삼각형 ㄱㄴㄷ은 선대칭도형입니다. 삼각형 ㄱㄴㄷ의 둘레가 48 cm일 때, 변 ㄱㄴ의 길이는 몇 cm입니까?

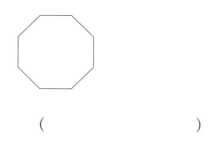

(   )

4 선대칭도형도 되고 점대칭도형도 되는 것은 어느 것입니까? (   )

① B ② S ③ X
④ M ⑤ D

5 모눈종이 위에 점대칭도형의 일부를 그렸습니다. 점 ㅇ이 대칭의 중심일 때, 점대칭도형을 완성하고, 점대칭도형의 넓이를 구하시오.

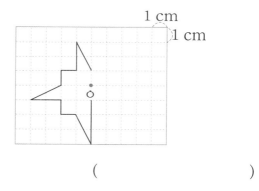

(   )

6 다음 그림은 점 ㅇ을 대칭의 중심으로 하는 점대칭도형의 일부분입니다. 점대칭도형에서 점 ㅁ과 그 대응점을 이은 선분의 길이는 몇 cm입니까?

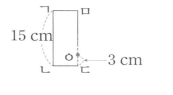

(   )

7 도형을 보고 물음에 답하시오.

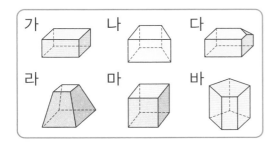

(1) 직육면체를 모두 찾아 기호를 쓰시오.

(   )

(2) 정육면체를 찾아 기호를 쓰시오.

(   )

8 직육면체에 대한 설명으로 옳은 것을 찾아 기호를 쓰시오.

> ㉠ 꼭짓점은 8개이고, 모서리도 8개입니다.
> ㉡ 마주 보는 두 면은 서로 수직입니다.
> ㉢ 한 밑면에 대한 옆면은 모두 4개입니다.
> ㉣ 직육면체는 정육면체라고 할 수 있습니다.

(   )

9 직육면체를 보고 물음에 답하시오.

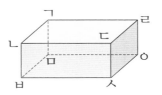

(1) 면 ㄴㅂㅅㄷ과 평행한 면은 어느 면입니까?

(   )

(2) 면 ㄱㄴㄷㄹ과 수직인 면을 모두 쓰시오.

‑‑‑‑‑‑‑‑‑‑‑‑‑‑‑‑‑‑‑‑‑‑‑‑‑‑‑‑‑‑

‑‑‑‑‑‑‑‑‑‑‑‑‑‑‑‑‑‑‑‑‑‑‑‑‑‑‑‑‑‑

10 오른쪽 직육면체의 겨냥도에서 보이는 모서리의 길이의 합은 몇 cm입니까?

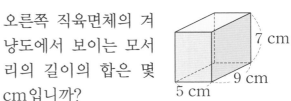

(   )

11 직육면체의 전개도를 그린 것으로 바르지 않은 것을 모두 고르시오. (   )

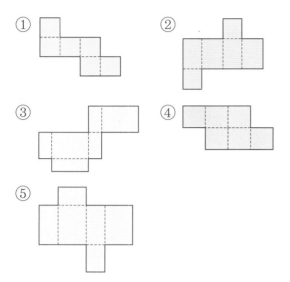

① ② ③ ④ ⑤

12 직육면체의 전개도를 보고 물음에 답하시오.

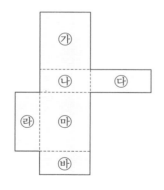

(1) 면 ㉣와 평행한 면을 찾아 쓰시오.

(   )

(2) 면 ㉮와 수직인 면을 모두 찾아 쓰시오.

(   )

13 직육면체의 전개도입니다. □ 안에 알맞은 수를 써넣으시오.

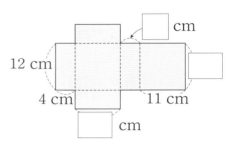

12 cm
4 cm   11 cm
cm
cm

14 주사위의 전개도에서 마주 보는 면의 눈의 합이 7이 되도록 ㉠에 알맞은 눈의 수는 얼마인지 설명하시오.

15 직육면체에서 마주 보는 면에 그려진 모양이 같다고 할 때, 모양의 방향을 생각하여 직육면체의 전개도에 알맞게 그려 넣으시오.

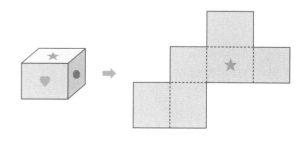

16 평행한 면의 수의 합이 7인 정육면체를 미끄럼없이 한 칸씩 굴려 밑면이 닿은 수를 적어갈 때 ★표에 알맞은 수를 구하시오.

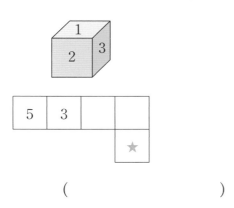

(   )

17 흰색과 검은색 두 종류의 정삼각형 종이를 그림과 같이 규칙적으로 늘어놓을 때, 10번째 모양에서 흰색과 검은색의 정삼각형의 개수의 차를 구하시오.

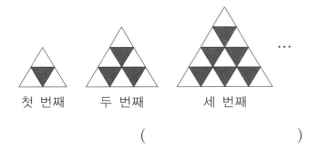

첫 번째   두 번째   세 번째

(   )

18 다음과 같이 면봉을 이용하여 오각형을 만들 때 정오각형 20개를 만들기 위해서는 면봉이 몇 개 필요합니까?

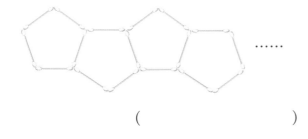

(   )

19 다음 도형에서 찾을 수 있는 사각형의 개수를 구하시오.

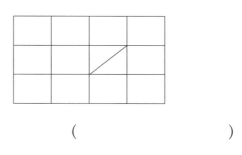

(   )

20 다음 도형에서 ☆을 포함한 사각형의 개수를 구하시오.

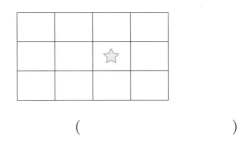

(   )

꼭✔ 알아야 할

도형

5 학년이 꼭 ✓ 알아야 한

도형

정답과 풀이

(주)에듀왕
www.eduwang.com

1. 평면도형의 둘레

 개념익히기 page. 5

1. 7, 7, 7, 7, 7, 7, 35
2. 7, 5, 7, 5, 7, 5, 24
3. 8, 8, 8, 8, 8, 32
4. (1) 54 cm (2) 40 cm
5. (1) 14 cm (2) 38 cm
6. 40 cm

4. (1) (정육각형의 둘레)$=9\times6=54$(cm)
   (2) (정팔각형의 둘레)$=5\times8=40$(cm)

5. (1) $(2+5)\times2=14$(cm)
   (2) $(12+7)\times2=38$(cm)

6. $(8+12)\times2=40$(cm)

동메달따기 page. 6~9

1. 34 cm	2. 8 cm
3. 8 cm	4. 4개
5. 8 cm	6. 7 cm
7. 32 cm	8. 70 cm
9. 12 cm	10. 45
11. 64 cm	12. 12 cm

1. $(12+5)\times2=34$(cm)

2. 정육각형의 둘레는 $4\times6=24$(cm)이므로 정삼각형의 한 변의 길이는 $24\div3=8$(cm)입니다.

3. 정육각형의 둘레는 $8\times6=48$(cm), 정사각형의 둘레는 $10\times4=40$(cm)이므로 $48-40=8$(cm) 더 깁니다.

4. 사용한 철사는 $20\times5=100$(cm)이고, 직사각형의 둘레는 $(8+4)\times2=24$(cm)이므로 $100\div24=4\cdots4$에서 4개까지 만들 수 있습니다.

5. 가로 한 변과 세로 한 변의 길이의 합은 $46\div2=23$(cm)이므로 $23-15=8$(cm)입니다.

6. 이등변삼각형의 둘레는 $11\times2+6=28$(cm)이므로 $28\div4=7$(cm)입니다.

7. 가로 10 cm, 세로 6 cm인 직사각형의 둘레와 같으므로 $(10+6)\times2=32$(cm)입니다.

8. 가로 20 cm, 세로 15 cm인 직사각형의 둘레와 같으므로 $(20+15)\times2=70$(cm)입니다.

9. 주어진 도형의 둘레는 $(18+12)\times2=60$(cm)이므로 $60\div5=12$(cm)입니다.

10. 정오각형의 둘레는 $25\times5=125$(cm)이므로 직사각형의 가로 한 변과 세로 한 변의 길이의 합은 $125\div2=62.5$(cm)입니다.
    따라서 □$=62.5-17.5=45$입니다.

11. 가로 20 cm, 세로 12 cm인 직사각형의 둘레와 같으므로 $(20+12)\times2=64$(cm)입니다.

12. 주어진 도형의 둘레는 $10\times4+4\times2=48$(cm)이고 $48\div4=12$(cm)이므로 정사각형의 한 변의 길이는 12 cm로 하면 됩니다.

 은메달따기 page. 10~11

1. 32 cm	2. 5
3. 240 cm	4. 58 cm
5. 50 cm	6. 8 cm

1. 정사각형의 한 변의 길이는 $8\div4=2$(cm)입니다.

또한 주어진 도형의 둘레는 한 변의 길이가 8 cm인 정사각형의 둘레로 볼 수 있으므로 8×4=32(cm)입니다.

2. 주어진 도형의 둘레는 가로 13 cm, 세로 (□+1+1)cm인 직사각형의 둘레와 같고 가로 한 변과 세로 한 변의 길이의 합은 40÷2=20(cm)이므로 20−13=7에서 □=7−1−1=5입니다.

3. 정사각형의 둘레는 20×4=80(cm), 점선을 따라 한 번 자를 때마다 20×2=40(cm)씩 새로운 둘레가 생기는 것으로 생각하면 4번 자를 때는 40×4=160(cm)가 늘어납니다. 따라서 80+160=240(cm)입니다.

4. 그림과 같이 보조선을 그어 생각하면 가로 15 cm, 세로 10 cm인 직사각형의 둘레와 같은 도형이 생겨나고 4 cm 길이 2개가 남습니다. 따라서 (15+10)×2+8=58(cm)입니다.

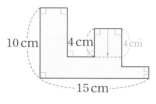

5. 선분 ㄱㄴ에 평행한 보조선을 그어 보면 선분 ㄴㄹ은 10 cm이고, 삼각형 ㄷㄹㅁ은 정삼각형이 되어 선분 ㄹㅁ도 10 cm입니다. 따라서 사다리꼴의 둘레는 10×5=50(cm)입니다.

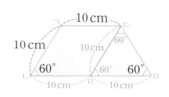

6. 둘레는 (5+3)×2=16(칸)이므로 정사각형의 한 변의 길이는 32÷16=2(cm)입니다. 따라서 정사각형 1개의 둘레는 2×4=8(cm)입니다.

금메달 따기

page. 12-13

1. 12 cm
2. 4 cm
3. 8 cm
4. 70 cm

---

5. 72 cm
6. 풀이 참조

1. 주어진 도형의 둘레는 가로 5칸, 세로 4칸인 직사각형의 둘레와 ○ 표시한 2칸의 합과 같으므로 (5+4)×2+2 =20(칸)입니다. 따라서 정사각형의 한 변의 길이는 60÷20=3(cm)이므로 둘레는 3×4=12(cm)입니다.

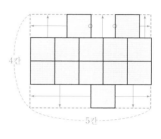

2. 보조선을 그어 직사각형의 둘레를 구할 수 있는 도형으로 만든 뒤 남은 길이를 더한 값이 40 cm입니다. 따라서 남은 두 길이는 40−(10+6)×2=8(cm)이므로 변 ㅇㅅ의 길이는 8÷2=4(cm)입니다.

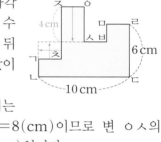

3. 직사각형 4개의 둘레의 합은 정사각형의 변 4+2×3=10(개)에 해당하므로 80÷10=8(cm)입니다.

4. (둘레)=(3+3+8+12+4+5)×2 =70(cm)

5. (도형 나의 한 변)=11−3=8(cm), (도형 다의 한 변)=8−2=6(cm) 따라서 도형의 둘레는 {(11+8+6)+11}×2=72(cm)입니다.

6. (가장 작은 정사각형의 한 변)=28÷4 =7(cm) (큰 직사각형의 가로)=7×4=28(cm) (큰 직사각형의 세로)=28+7=35(cm) (큰 직사각형의 둘레)=(28+35)×2 =126(cm) 입니다.

2. 넓이의 단위를 알고 직사각형의 넓이 구하기

개념 익히기 page. 15

1. $1\,\text{cm}^2$, 1 제곱센티미터
2. 100, 100, 10000 / 1, 1, 1
3. 1000, 1000, 1000000 / 1, 1, 1
4. (1) 70000 (2) 8000000 (3) 4 (4) 5
5. (1) $60\,\text{cm}^2$ (2) $80\,\text{cm}^2$
6. 24   7. 36

5. (1) $5 \times 12 = 60(\text{cm}^2)$
   (2) $10 \times 8 = 80(\text{cm}^2)$
6. $300\,\text{cm} = 3\,\text{m}$이므로 $8 \times 3 = 24(\text{m}^2)$입니다.
7. $4000\,\text{m} = 4\,\text{km}$이므로 $4 \times 9 = 36(\text{km}^2)$입니다.

응애달따기 page. 16-19

1. (1) $126\,\text{cm}^2$ (2) $224\,\text{cm}^2$
2. (1) $169\,\text{cm}^2$ (2) $289\,\text{cm}^2$
3. $3\,\text{m}^2$
4. (1) 80000   (2) 200000
   (3) 6000000   (4) 30000000
   (5) 5   (6) 120
   (7) 2   (8) 70
5. $153\,\text{cm}^2$ 6. $126\,\text{cm}^2$
7. $64\,\text{cm}^2$ 8. $300\,\text{cm}^2$
9. $4\,\text{cm}$ 10. $296\,\text{cm}^2$
11. $64\,\text{cm}^2$ 12. $434\,\text{cm}^2$

1. (1) $7 \times 18 = 126(\text{cm}^2)$
   (2) $16 \times 14 = 224(\text{cm}^2)$

2. (1) $13 \times 13 = 169(\text{cm}^2)$
   (2) $17 \times 17 = 289(\text{cm}^2)$
3. (게시판의 넓이)$= 250 \times 120 = 30000(\text{cm}^2)$
   $= 3(\text{m}^2)$
5. 직사각형 ㄱㄴㅁㅂ의 세로는
   $108 \div 12 = 9(\text{cm})$이므로 직사각형 ㅂㅁㄷㄹ의 넓이는 $17 \times 9 = 153(\text{cm}^2)$입니다.
6. $81 = 9 \times 9$이므로 정사각형 ㅁㄴㄷㅂ의 한 변은 9 cm입니다.
   따라서 직사각형 ㄱㄴㄷㄹ의 넓이는
   $9 \times (5+9) = 126(\text{cm}^2)$입니다.
7. 색칠한 도형의 넓이는
   $(8+12) \times (6+6)$
   $= 240(\text{cm}^2)$
   이고 색칠하지 않은 도형
   의 넓이는
   (㉠의 넓이)+(㉡의 넓이)+(㉢의 넓이)
   $= (8 \times 4) + \{6 \times (6+4+6)\} + (12 \times 4)$
   $= 32 + 96 + 48 = 176(\text{cm}^2)$
   입니다.
   따라서 넓이의 차는 $240 - 176 = 64(\text{cm}^2)$입니다.
8. $25 \times (6+6) = 300(\text{cm}^2)$
9. (가 부분의 넓이)$= (13 \times 13) - 117$
   $= 52(\text{cm}^2)$
   (가 부분의 가로)$= 52 \div 13 = 4(\text{cm})$입니다.
10. $(21 \times 16) - \{(21-7-9) \times 8\} = 296(\text{cm}^2)$
11. $(9 \times 4) + (4 \times 7) = 64(\text{cm}^2)$
12. $(16 \times 7) + (25 \times 10) + (6 \times 12) = 434(\text{cm}^2)$

응애달따기 page. 20-21

1. $64\,\text{cm}^2$ 2. $95\,\text{cm}^2$
3. $1260\,\text{cm}^2$ 4. $360\,\text{cm}^2$
5. $60\,\text{cm}$ 6. $225\,\text{cm}^2$

1. 도형의 둘레는 작은 정사각형의 한 변이 12개 모인 것과 같습니다.
따라서 작은 정사각형의 한 변이 $96 \div 12 = 8$(cm)이므로 작은 정사각형 한 개의 넓이는 $8 \times 8 = 64(\text{cm}^2)$입니다.

2.

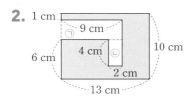

(㉠의 넓이)$= 9 \times (10 - 1 - 6) = 27(\text{cm}^2)$,
(㉡의 넓이)$= 2 \times 4 = 8(\text{cm}^2)$
(큰 직사각형의 넓이)$= 13 \times 10 = 130(\text{cm}^2)$
따라서 도형의 넓이는
$130 - 27 - 8 = 95(\text{cm}^2)$입니다.

3. $(38 - 4 - 4) \times (50 - 4 - 4)$
$= 30 \times 42 = 1260(\text{cm}^2)$

4. $169 = 13 \times 13$이므로 정사각형의 한 변은 13 cm입니다.
따라서 늘여 만든 직사각형의 넓이는
$(13 + 5) \times (13 + 7) = 18 \times 20 = 360(\text{cm}^2)$
입니다.

5. 큰 직사각형의 넓이는 $90 \times 60 = 5400(\text{cm}^2)$
이므로 직사각형 ㉮의 넓이는
$5400 \div 2 = 2700(\text{cm}^2)$입니다.
따라서 직사각형 ㉮의 가로는
$2700 \div 45 = 60(\text{cm})$입니다.

6. 삼각형 ㄱㄴㄷ의 넓이는 사각형 ㄱㄴㄷㄹ의 넓이의 $\frac{1}{2}$이고, 삼각형 ㅇㄴㅅ의 넓이는 사각형 ㄱㄴㄷㄹ의 $\frac{1}{4}$이므로 색칠한 부분의 넓이는 사각형 ㄱㄴㄷㄹ의 $\frac{1}{4}$입니다.
(사각형 ㄱㄴㄷㄹ의 넓이)$= 30 \times 30$
$= 900(\text{cm}^2)$
(색칠한 부분의 넓이)$= 900 \div 4 = 225(\text{cm}^2)$

page. 22~23

1. 592 cm^2 **2.** 717 cm^2
3. 64 cm **4.** 90 cm^2
5. 7 cm **6.** 4900 cm^2

1. 작은 정사각형으로 나누어 보면 작은 정사각형의 한 변은 4 cm이므로 전체 넓이는
$(4 \times 4) \times 37 = 592(\text{cm}^2)$입니다.

2. 가장 작은 정사각형의 한 변을 □라 하면
$□ + (□ + 9) + (□ + 6) = 45$
$□ + □ + □ = 30$, $□ = 30 \div 3 = 10$(cm)
(도형의 넓이)$= 10 \times 10 + 19 \times 19 + 16 \times 16$
$= 717(\text{cm}^2)$

3. (㉮의 세로)$= 45 \div 5 = 9$(cm)
㉮와 ㉯의 넓이가 같으므로
(㉯의 세로)$= 45 \div 15 = 3$(cm)입니다.
따라서 직사각형 ㄱㄴㄷㄹ의 둘레는
$(5 + 15 + 9 + 3) \times 2 = 64$(cm)입니다.

4. 가장 작은 정사각형의 한 변을 □cm라 하면
$□ + (□ + 1) + (□ + 2) + (□ + 3) + (□ + 4) = 20$, $5 \times □ + 10 = 20$, $5 \times □ = 10$,
$□ = 2$입니다.
따라서 도형의 넓이는
$2 \times 2 + 3 \times 3 + 4 \times 4 + 5 \times 5 + 6 \times 6$
$= 90(\text{cm}^2)$입니다.

5. ㉠, ㉡, ㉢의 넓이의 합은 늘어난 부분의 넓이이고,
㉢의 넓이는 $3 \times 5 = 15$이므로 (㉠의 넓이)$+$(㉡의 넓이)$= 71 - 15 = 56(\text{cm}^2)$입니다.
㉠의 세로와 ㉡의 가로가 □cm이므로
$3 \times □ + □ \times 5 = 56$, $8 \times □ = 56$,
$□ = 7$입니다.
따라서 처음 정사각형의 한 변은 7 cm입니다.

6.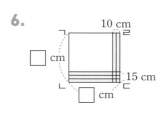

색칠한 부분을 한곳으로 모으면 왼쪽 그림과 같습니다.
정사각형의 한 변을 □cm라 하면 색칠한 부분의 넓이는
$\square \times 15 + \square \times 10 - 15 \times 10 = 1600$에서
$\square = 70$(cm)입니다.
따라서 정사각형 ㄱㄴㄷㄹ의 넓이는
$70 \times 70 = 4900$(cm²)입니다.

3. 평행사변형과 삼각형의 넓이 구하기

 **개념 익히기** page. 25

1. 3 cm, 4 cm

2. (1) 8, 8, 8 (2) 밑변, 높이

3. (1) 40 cm² (2) 120 cm²

4. 15, 12, 90

5. (1) 20, 20, 20 (2) 밑변, 높이

6. (1) 40 cm² (2) 42 cm²

3. (1) $5 \times 8 = 40$(cm²)
   (2) $12 \times 10 = 120$(cm²)

5. (1) (㉮의 넓이)=$5 \times 8 \div 2 = 20$(cm²)
   (㉯의 넓이)=$5 \times 8 \div 2 = 20$(cm²)
   (㉰의 넓이)=$5 \times 8 \div 2 = 20$(cm²)

6. (1) $10 \times 8 \div 2 = 40$(cm²)
   (2) $6 \times 14 \div 2 = 42$(cm²)

1. (1) 80 cm² (2) 208 cm²

2. (1) 16 (2) 12   **3.** 라

4. (1) $\frac{1}{2}$ (2) 56 cm²

5. (1) 75 cm² (2) 52 cm²

6. 나   **7.** (1) 16 (2) 12

8. (1) 600 cm² (2) 24

9. 평행사변형, 42 cm² **10.** 6 cm

11. 20 cm   **12.** 8 cm

1. (1) $10 \times 8 = 80$(cm²)
   (2) $16 \times 13 = 208$(cm²)

2. (1) $240 \div 15 = 16$(cm)
   (2) $108 \div 9 = 12$(cm)

3. 가, 나, 다, 마의 넓이 : 6 cm²,
   라의 넓이 : 9 cm²

4. (1) 삼각형의 넓이는 평행사변형의 넓이의 반입니다.
   (2) $16 \times 7 \div 2 = 56$(cm²)

5. (1) $15 \times 10 \div 2 = 75$(cm²)
   (2) $13 \times 8 \div 2 = 52$(cm²)

6. 높이가 모두 같으므로 밑변의 길이가 다른 나의 넓이가 다릅니다.

7. (1) □=$72 \times 2 \div 9 = 16$(cm)
   (2) □=$72 \times 2 \div 12 = 12$(cm)

8. (1) $40 \times 30 \div 2 = 600$(cm²)
   (2) □=$600 \times 2 \div 50 = 24$(cm)

9. (삼각형의 넓이)=$14 \times 6 \div 2 = 42$(cm²)
   (평행사변형의 넓이)=$7 \times 12 = 84$(cm²)
   따라서 평행사변형이 $84 - 42 = 42$(cm²)
   더 넓습니다.

10. 60=(밑변)×(높이)=$10 \times$(높이)에서
   (높이)=$60 \div 10 = 6$(cm)입니다.

11. $80=$(밑변)$\times$(높이)$\div2=$(밑변)$\times8\div2$에서
(밑변)$\times8=160$, (밑변)$=160\div8=20$(cm)
입니다.

12. 삼각형은 한 각이 직각인 이등변삼각형이므로
넓이는 $8\times8\div2=32$(cm^2)입니다.
따라서 $4\times\square=32$에서 $\square=8$이므로 평행사변
형의 높이는 8 cm입니다.

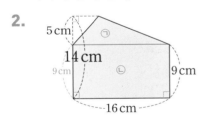

은메달따기   page. 30~31

1. 8 cm	**2.** 184 cm^2
3. 7 cm	**4.** 154 cm^2
5. 8 cm	**6.** 120 cm^2

1. $\bigcirc\times9=12\times6=72$이므로
$\bigcirc=72\div9=8$입니다.
따라서 $\bigcirc$의 길이는 8 cm입니다.

2.

삼각형 $\bigcirc$의 넓이는 $16\times5\div2=40$(cm^2),
직사각형 $\bigcirc$의 넓이는 $16\times9=144$(cm^2)
이므로 도형의 넓이는 $40+144=184$(cm^2)
입니다.

3. 삼각형 ㄱㄴㄷ의 넓이는
$58+4\times4\div2$
$=66$(cm^2)
이므로 선분 ㄱㄴ의
길이는 $66\times2\div12$
$=11$(cm)입니다.
따라서 $\bigcirc$의 길이는 $11-4=7$(cm)입니다.

4. 보조선을 그어
보면 삼각형
⑦는 밑변의
길이가 6 cm,
높이가
18 cm인 삼각형이고, 삼각형 ⑭는 밑변의 길이
가 20 cm, 높이가 10 cm인 삼각형입니다.
따라서 색칠한 부분의 넓이는
$6\times18\div2+20\times10\div2=154$(cm^2)입니다.

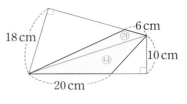

5. $6\times4\div2=3\times\square\div2$이므로 $6\times4=3\times\square$로
생각할 수 있습니다.
따라서 $24=3\times\square$에서 $\square=24\div3=8$이므로
삼각형 ⑭의 높이는 8 cm입니다.

6. 삼각형 $\bigcirc$의 넓이는
$12\times6\div2=36$(cm^2),
직사각형 $\bigcirc$의 넓이는
$12\times5=60$(cm^2),
삼각형 $\bigcirc$의 넓이는
$4\times12\div2=24$(cm^2)
이므로 $36+60+24=120$(cm^2)입니다.

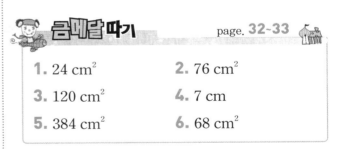

금메달따기   page. 32~33

1. 24 cm^2	**2.** 76 cm^2
3. 120 cm^2	**4.** 7 cm
5. 384 cm^2	**6.** 68 cm^2

1. 밑변의 길이와 높이가 같은 삼각형끼리는 넓이
가 같습니다.
삼각형 ㄴㅂㅁ의 넓이는 삼각형 ㄱㄴㄷ의 넓이
의 $\frac{1}{5}$이고, 삼각형 ㄹㅁㅂ의 넓이는 삼각형 ㄹ
ㄱㄷ의 넓이의 $\frac{1}{5}$이므로 색칠한 부분의 넓이는
도형 전체 넓이의 $\frac{1}{5}$입니다.
따라서 $15\times8\div5=24$(cm^2)입니다.

2. 정사각형 4개의 넓이의 합에서 색칠이 안 된 삼각형의 넓이를 뺍니다.

$(100+64+36+16)-(28\times10\div2)$
$=76(cm^2)$

3. 밑변의 길이와 높이가 같은 삼각형끼리는 넓이가 같다는 점을 이용합니다.

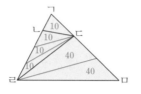

따라서 보조선을 그어 생각하면 삼각형 ㄱㄹㄷ의 넓이는 $10\times4=40(cm^2)$이고, 삼각형 ㄱㄹㅁ의 넓이는 $40\times3=120(cm^2)$입니다.

4. 두 평행사변형의 넓이는 $12\times18=216(cm^2)$로 같으므로 삼각형 ㅅㄴㄷ의 넓이는 $216-150=66(cm^2)$입니다.

선분 ㅅㄷ의 길이는 $66\times2\div12=11(cm)$이므로 선분 ㄹㅅ의 길이는 $18-11=7(cm)$입니다.

5. 각 ㅁㄷㄴ이 45°이므로 삼각형 ㅁㄴㄷ은 이등변삼각형입니다. 따라서 선분 ㅁㄷ의 길이는 10 cm이고 선분 ㄹㅁ의 길이는 $70\times2\div10=14(cm)$입니다.

사각형 ㄱㄴㄷㄹ의 넓이는 삼각형 ㄱㄴㄹ과 삼각형 ㄴㄷㄹ의 합과 같으므로

$24\times22\div2+24\times10\div2=264+120$
$=384(cm^2)$

입니다.

6. 삼각형 ㄱㄴㄷ은 한 각이 직각인 이등변삼각형이므로 그 넓이는

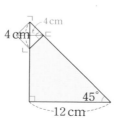

$4\times4\div2\div2=4(cm^2)$입니다.

따라서 색칠한 부분의 넓이는 $12\times12\div2-4=68(cm^2)$입니다.

---

4. 마름모와 사다리꼴의 넓이 구하기

개념 익히기

page. 35

1. (1) 10, 5, 2, 50   (2) 12, 7, 42

2. (1) 90 cm²   (2) 49 cm²

3. 60 m²   **4.** 6, 11, 8, 68

5. (1) 60 cm²   (2) 84 cm²

6. 8, 6, 8, 24, 32

2. (1) $15\times12\div2=90(cm^2)$
　　(2) $7\times14\div2=49(cm^2)$

3. $10\times12\div2=60(m^2)$

5. (1) $(12+8)\times6\div2=60(cm^2)$
　　(2) $(10+14)\times7\div2=84(cm^2)$

동메달 따기

page. 36~39

1. (1) 150 cm²   (2) 52 cm²

2. 88 cm²   **3.** 60 cm²

4. (1) 30 cm²   (2) 165 cm²

5. (1) 6   (2) 19   **6.** 11 cm

7. 9 cm   **8.** 20 cm²

9. 81 cm²   **10.** 9

11. 82 cm²   **12.** 10 cm

1. (1) $15\times20\div2=150(cm^2)$
　　(2) $13\times(4\times2)\div2=52(cm^2)$

2. $22\times4=88(cm^2)$

3. (마름모의 넓이)$=15\times8\div2=60(cm^2)$
　　(색칠한 부분의 넓이)$=15\times8-60$
　　$=120-60=60(cm^2)$

4. (1) $(6+9) \times 4 \div 2 = 30 (\text{cm}^2)$
   (2) $(13+17) \times 11 \div 2 = 165 (\text{cm}^2)$

5. (1) $33 \times 2 \div (7+4) = 6 (\text{cm})$
   (2) $128 \times 2 \div 8 - 13 = 32 - 13 = 19 (\text{cm})$

6. (사다리꼴 ㄱㄴㄷㄹ의 높이)
$= 240 \times 2 \div (9+15) = 20 (\text{cm})$
(사다리꼴 ㅁㅂㄷㄹ의 높이)
$= 20 - 9 = 11 (\text{cm})$

7. (대각선 ㄱㄷ의 길이)$= 54 \times 2 \div 12 = 9 (\text{cm})$

8. $(5 \times 2 \div 2) \times 4 = 20 (\text{cm}^2)$

9. $18 \times 12 \div 2 - 9 \times 6 \div 2$
$= 108 - 27 = 81 (\text{cm}^2)$

10. $\{\square + (\square - 6)\} \times 14 \div 2 = 84,\ \square = 9$

11. $(8+16) \times 8 \div 2 - 7 \times 4 \div 2$
$= 96 - 14 = 82 (\text{cm}^2)$

12. (사다리꼴의 높이)$= 500 \times 2 \div (15+35)$
$= 20 (\text{cm})$
(삼각형 ㄱㄷㄹ의 넓이)$= 15 \times 20 \div 2$
$= 150 (\text{cm}^2)$
(선분 ㄹㅁ)$= 150 \times 2 \div 30 = 10 (\text{cm})$

2. 삼각형 ㉠의 높이는
$6 \times 8 \div 10 = 4.8 (\text{cm})$
이므로 사다리꼴의
높이는 4.8 cm입니다.
따라서 사다리꼴의 넓
이는 $(10+15) \times 4.8 \div 2 = 60 (\text{cm}^2)$입니다.

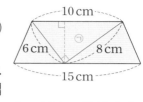

3. 사다리꼴 ㄱㄴㄷㄹ의 넓이는
$120 \times 2 = 240 (\text{cm}^2)$이므로
(윗변)$+$(아랫변)$= 240 \times 2 \div 12 = 40 (\text{cm})$
입니다. 따라서 사다리꼴 ㄱㄴㄷㄹ의 둘레의 길
이는 $40 + 16 + 12 = 68 (\text{cm})$입니다.

4. 사다리꼴 ㅂㄴㄷㅁ의 높이는
$14 \times 2 \div 4 = 7 (\text{cm})$, 아랫변은 10 cm입니다.
따라서 사다리꼴 ㅂㄴㄷㅁ의 넓이는
$(6+10) \times 7 \div 2 = 56 (\text{cm}^2)$입니다.

5. 사다리꼴 ㄱㄴㄷㄹ의 높이를 2라고 하면
(사다리꼴 ㄱㄴㄷㄹ의 넓이)$= (20+28) \times 2 \div 2$
$= 48$
이므로 평행사변형 ㄱㄴㅂㅁ의 넓이는 24가 됩니
다.
(평행사변형 ㄱㄴㅂㅁ의 넓이)
$=$(선분 ㄱㅁ)$\times 2 = 24$이므로
(선분 ㄱㅁ)$= 12$ cm, (선분 ㅁㄹ)$= 8$ cm

6. 마름모의 네 변의 가운데를 이어 만든 직사각형
의 넓이는 마름모의 넓이의 $\frac{1}{2}$입니다.
(마름모 ㄱㄴㄷㄹ의 넓이)
$= 14 \times 2 \times 2 \times 2 \times 2 = 224 (\text{cm}^2)$

은메달따기   page. 40~41

1. 270 cm²	**2.** 60 cm²
3. 68 cm	**4.** 56 cm²
5. 8 cm	**6.** 224 cm²

1. (색칠한 부분의 넓이)
$=$(큰 마름모의 넓이)$-$(작은 마름모의 넓이)
$= 36 \times 20 \div 2 - (36 \div 2) \times (20 \div 2) \div 2$
$= 360 - 90 = 270 (\text{cm}^2)$

금메달따기   page. 42~43

1. 81 cm²	**2.** 1 cm
3. 5 cm	**4.** 361 cm²
5. 선분 ㄱㅂ : 45 cm, 선분 ㄴㄷ : 27 cm	
6. 14 cm	

1. 사각형 ㄱㄴㄷㄹ은 사다리꼴이고, 변 ㄱㄹ의 길이를 □라고 하면
   $(□+30)×14÷2=336$,
   $□=336×2÷14-30=18(cm)$
   따라서 색칠한 부분의 넓이는
   $18×(14-5)÷2=81(cm^2)$입니다.

2. 사각형 ㄱㄴㄷㄹ과 평행사변형 ㄴㄷㅂㅁ의 넓이는 같습니다.
   선분 ㅅㄷ의 길이를 □라 하면
   $6×7-24=6×□÷2$,
   $□=(42-24)×2÷6=6(cm)$
   따라서 선분 ㄹㅅ의 길이는 $7-6=1(cm)$입니다.

3. 삼각형 ㄱㄴㄷ과 삼각형 ㄹㅁㅂ의 넓이가 같으므로 사다리꼴 ㄱㄴㅁㅅ의 넓이는 65 cm²입니다. 선분 ㄴㅁ의 길이를 □cm라 놓으면 사다리꼴 ㄱㄴㅁㅅ의 넓이를 구하는 식은
   $(11+15)×□÷2=65$,
   $(11+15)×□=130$, $□=5(cm)$입니다.

4. 삼각형 ㄱㄴㅁ과 삼각형 ㄹㅁㄷ의 넓이가 같으므로 각각 70 cm²입니다.
   (삼각형 ㄹㄴㄷ의 넓이)$=70+(28×14÷2)$
   $=266(cm^2)$
   (삼각형 ㄹㄴㄷ의 높이)$=266×2÷28$
   $=19(cm)$
   (사다리꼴 ㄱㄴㄷㄹ의 넓이)
   $=(10+28)×19÷2=361(cm^2)$

5. (정사각형 ㅂㄷㄹㅁ의 넓이)$=36×36÷2$
   $=648(cm^2)$
   (사다리꼴 ㄱㄴㄷㅂ의 넓이)
   $=\{(선분 ㄱㅂ)+(선분 ㄴㄷ)\}×18÷2$
   $=648(cm^2)$
   (선분 ㄱㅂ)+(선분 ㄴㄷ)$=648×2÷18$
   $=72(cm)$
   (선분 ㄴㄷ)$=(72-18)÷2=27(cm)$
   (선분 ㄱㅂ)$=72-27=45(cm)$

6. (나의 넓이)$=4×7÷2=14(cm^2)$이므로
   (가의 넓이)$=14×5=70(cm^2)$입니다.

선분 ㄱㅁ의 길이를 □라 하면
$(□+□×2+2)×7÷2=70$,
$(□+□×2+2)×7=140$,
$□+□×2+2=20$, $□×3=18$,
$□=6(cm)$입니다.
따라서 선분 ㄴㄷ의 길이는
$6×2+2=14(cm)$입니다.

5. 도형의 합동

개념익히기   page. 45

1. 나와 아, 라와 사   2. ②, ③

3. (1) 점 ㅁ (2) 변 ㅇㅅ (3) 각 ㅅㅂㅁ

4. (1) 10 cm (2) 5 cm (3) 130° (4) 90°

5. ㄱ, ㄴ

---

4. (1) (변 ㅁㅇ)=(변 ㄱㄴ)=10 cm
   (2) (변 ㄴㄷ)=(변 ㅇㅅ)=5 cm
   (3) (각 ㄱㄹㄷ)=(각 ㅁㅂㅅ)=130°
   (4) (각 ㅁㅇㅅ)=(각 ㄱㄴㄷ)=90°

동메달따기   page. 46~49

1. (1) 자 (2) 나, 사   2. 나, 바, 사

3. 변 ㄹㄱ   4. ①, ④

5. (1) 변 ㅅㅂ, 6 cm (2) 각 ㅇㅁㅂ, 80°

6. 75°   7. 풀이 참조

8. ㄴ, ㄱ, ㄹ, ㄷ   9. 변 ㄱㄷ

10. ③   11. ㄴ

12. 8가지

5. (2) 각 ㄱㄹㄷ의 대응각은 각 ㅇㅁㅂ입니다.
합동인 도형에서 대응각의 크기는 같으므로
(각 ㅇㅁㅂ)=360°−(120°+90°+70°)
　　　　　　　=80°
입니다.

6. (각 ㄱㄷㄴ)=180°−75°−42°=63°이고 각
ㅁㄷㄹ의 대응각은 각 ㄱㄴㄷ이므로 크기는
42°입니다.
따라서 (각 ㄱㄷㅁ)=180°−63°−42°=75°
입니다.

7. 변 ㅂㅅ의 대응변은 변 ㄱㄴ이므로 변 ㅂㅅ의
길이는 10 cm입니다.
변 ㅁㅇ의 길이는 사각형 ㄱㄴㄷㄹ의 둘레에서
나머지 세 변의 길이를 뺀 것과 같으므로
(변 ㅁㅇ)=30−(10+4+9)=7(cm)입니다.

10. 합동인 삼각형을 그릴 수 있는 경우는 세 변의
길이가 주어졌을 때, 두 변의 길이와 그 사이의
각의 크기가 주어졌을 때, 한 변의 길이와 그 양
끝각의 크기가 주어졌을 때입니다.

12. 양 끝각의 크기의 합은 180°보다 작아야 하므로
(120°, 45°), (120°, 30°), (80°, 45°),
(80°, 30°), (105°, 45°), (105°, 30°),
(135°, 30°), (45°, 30°)로 모두 8가지의 삼
각형을 그릴 수 있습니다.

금메달따기　　page. 50-51

1. ㅁ, ㅂ	**2.** ②, ⑤
3. 34°	**4.** 4쌍
5. 115°	**6.** 146°

3. (각 ㄷㄹㄴ)=(각 ㄴㄱㄷ)=55°,
(각 ㄴㄷㄹ)=180°−(55°+17°)=108°
(각 ㄹㄷㅁ)=108°−17°=91°
따라서 (각 ㄹㅁㄷ)=180°−(55°+91°)
　　　　　　　　　=34°
입니다.

4. 합동인 삼각형은 삼각형 ㄱㄴㅁ과 삼각형 ㄷㄹ
ㅁ, 삼각형 ㄱㅁㄹ과 삼각형 ㄷㅁㄴ, 삼각형 ㄱ
ㄴㄹ과 삼각형 ㄷㄹㄴ, 삼각형 ㄱㄴㄷ과 삼각형
ㄷㄹㄱ으로 모두 4쌍입니다.

5. 삼각형 ㄱㄴㅂ과 삼각형 ㄹㅂㄴ은 합동이므로
(각 ㄱㄴㅂ)=(각 ㄹㅂㄴ)=75°이고,
삼각형 ㅂㄹㅁ과 삼각형 ㄹㅂㄴ은 합동이므로
(각 ㄹㅂㄴ)=(각 ㅂㄹㅁ)=40°입니다.
따라서 (각 ㄱㄴㄹ)=75°+40°=115°입니다.

6. 삼각형 ㄱㅂㅅ과 삼각형 ㅈㄷㄹ이 합동입니다.
따라서 (각 ㄷㅈㄹ)=(각 ㅂㄱㅅ)=34°이고,
삼각형 ㄴㅁㅈ에서
㉠+㉡+34°=180°이므로
㉠+㉡=180°−34°=146°입니다.

금메달따기　　page. 52-53

1. 13 cm	**2.** 60°
3. 128 cm²	**4.** 90°
5. 10 cm	**6.** 20 cm

1. 삼각형 ㄴㄷㅂ과 삼각형 ㅅㄷㄹ에서
(변 ㄴㄷ)=(변 ㅅㄷ), (변 ㄷㅂ)=(변 ㄷㄹ),
(각 ㄴㄷㅂ)=(각 ㅅㄷㄹ)=90°로 두 변의 길이
와 그 사이의 각의 크기가 같으므로 삼각형 ㄴ
ㄷㅂ과 삼각형 ㅅㄷㄹ은 합동입니다.
따라서 (선분 ㅂㄴ)=(선분 ㄹㅅ)=13 cm입
니다.

2. 삼각형 ㄱㄴㄷ과 삼각형 ㄹㅁㄴ이 합동이므로
(각 ㄱㄴㄷ)=(각 ㄹㅁㄴ), (변 ㄴㄷ)=(변 ㅁㄴ)
입니다. 따라서 삼각형 ㅁㄴㄷ은 이등변삼각형
이므로 (각 ㄴㅁㄷ)=(각 ㄴㄷㅁ)입니다.
삼각형 ㄴㅁㄷ의 세 각의 크기가 모두 같으므로
정삼각형이고, 각 ㄴㅁㄷ은 60°입니다.

3. 삼각형 ㄱㄴㅁ과 삼각형 ㄷㅂㅁ은 합동입니다.
따라서 (변 ㄱㄴ)=(변 ㄷㅂ)=8 cm,

(변 ㄴㅁ)＝(변 ㅂㅁ)＝6 cm이고,
(변 ㄴㄷ)＝6＋10＝16(cm)입니다.
따라서 직사각형 ㄱㄴㄷㄹ의 넓이는
8×16＝128(cm²)입니다.

4. 삼각형 ㄱㄴㅂ과 삼각형 ㄴㄷㅅ에서
(변 ㄴㅂ)＝(변 ㄷㅅ), (변 ㄱㄴ)＝(변 ㄴㄷ),
(각 ㄱㄴㅂ)＝(각 ㄴㄷㅅ)＝90°로 두 변의 길이
와 그 사이의 각의 크기가 같으므로 삼각형 ㄱ
ㄴㅂ과 삼각형 ㄴㄷㅅ은 합동입니다.
(각 ㄴㄱㅂ)＝(각 ㄷㄴㅅ)이고,
(각 ㄴㄱㅂ)＋(각 ㄱㅂㄴ)＝90°이므로
(각 ㄷㄴㅅ)＋(각 ㄱㅂㄴ)＝90°입니다.
따라서 삼각형 ㄴㅁㅂ에서
(각 ㄴㅁㅂ)＝180°－90°＝90°이므로
(각 ㄱㅁㅅ)＝90°입니다.

5. 삼각형 ㄱㄴㄷ과 삼각형 ㅅㅂㅁ에서
(변 ㄱㄴ)＝(변 ㅅㅂ),
(각 ㄱㄴㄷ)＝(각 ㅅㅂㅁ)＝90°,
(각 ㄴㄱㄷ)＝(각 ㅂㅅㅁ)＝90°－60°＝30°로
한 변의 길이와 그 양 끝각의 크기가 같으므로
삼각형 ㄱㄴㄷ과 삼각형 ㅅㅂㅁ은 합동입니다.
따라서 (변 ㅁㅂ)＝(변 ㄷㄴ)＝5 cm이고,
(변 ㄷㅁ)＝15－5－5＝5(cm)입니다.
평행선과 한 직선이 만날 때 생기는 같은 쪽의
각의 크기는 같으므로
(각 ㄹㄷㅁ)＝(각 ㄹㄱㅅ)＝60°,
(각 ㄹㅁㄷ)＝(각 ㄹㅅㄱ)＝60°입니다.
삼각형 ㄹㄷㅁ은 세 각이 모두 60°이므로 정삼
각형이고, (변 ㄷㄹ)＝(변 ㄷㅁ)＝5 cm입니다.
따라서 (변 ㄷㄱ)＝15－5＝10(cm)입니다.

6.
왼쪽 그림과 같이 삼각형 ㄱㄴ
ㄷ과 삼각형 ㄱㅅㄷ을 서로 붙
이면 이등변삼각형이 만들어집
니다.
(선분 ㄷㄴ)＝(선분 ㄷㅅ),
(선분 ㄱㄴ)＝(선분 ㄱㅅ),
(각 ㄱㄴㄷ)＝(각 ㄱㅅㄷ)으로 두 변의 길이와
그 사이의 각의 크기가 같으므로 삼각형 ㄱㄴㄷ
과 삼각형 ㄱㅅㄷ은 합동입니다.

마찬가지의 방법으로 삼각형 ㄱㄴㅁ과 삼각형
ㄱㅅㅁ도 합동입니다.
(선분 ㄴㄷ)＋(선분 ㅂㅁ)
＝(선분 ㅅㄷ)＋(선분 ㅅㅁ)＝20(cm)

중간 평가 page. 54-57

1. 72 cm | **2.** ㉢
3. 6, 2, 32 | **4.** 6
5. 32 cm, 64 cm² | **6.** 14 cm
7. (1) 25000000 (2) 40
8. (1) 96 cm² (2) 54 cm²
9. 64 cm, 184 cm² | **10.** 266 cm²
11. 68 cm | **12.** 12 cm
13. 9 | **14.** 65 cm²
15. 25 | **16.** 48 cm
17. 35, 9 / 100, 7 | **18.** ㉣
19. ㉠ | **20.** 풀이 참조

1. 12×6＝72(cm)

2. ㉠ 20 cm ㉡ 18 cm ㉢ 24 cm

4. □＝36÷2－12＝6(cm)

6. (18＋10＋18＋10)÷4＝14(cm)

8. (1) 12×8＝96(cm²)
(2) 12×9÷2＝54(cm²)

9. (둘레)＝(20＋12)×2＝64(cm)
(넓이)＝(20×12)－(14×4)＝184(cm²)

10. (윗변)＋(아랫변)＝70－(14＋18)
＝38(cm)
(사다리꼴의 넓이)＝38×14÷2＝266(cm²)

11. (직사각형 ㄱㄴㄷㄹ의 넓이)
$= 144 \times 2 = 288(cm^2)$
(선분 ㄱㄴ의 길이)$= 288 \div 16 = 18(cm)$
(직사각형 ㄱㄴㄷㄹ의 둘레)$= (18 + 16) \times 2$
$= 68(cm)$

12. $(15 \times 10) \times 2 \div 25 = 12(cm)$

13. $12 \times 18 \div 2 = 24 \times \square \div 2$
$\square = 9(cm)$

14. $(10 + 15) \times 10 \div 2 - 15 \times 8 \div 2$
$= 125 - 60 = 65(cm^2)$

15. (마름모의 넓이)$= 40 \times 20 \div 2 = 400(cm^2)$
(평행사변형의 넓이)$= 16 \times \square = 400(cm^2)$
$\square = 400 \div 16 = 25(cm)$

16. (선분 ㄹㅁ)$\times 50 = 80 \times 60 \div 2$
➡ (선분 ㄹㅁ)$= 2400 \div 50 = 48(cm)$

17. 합동인 두 도형은 대응변의 길이와 대응각의 크기가 각각 같습니다.

18. 세 변의 길이가 주어진 경우, 자와 컴퍼스만을 이용하여 합동인 삼각형을 그릴 수 있습니다.

19. ㉠ 가장 긴 변(9 cm)의 길이가 다른 두 변의 합(8 cm)보다 짧아야 삼각형을 그릴 수 있습니다.

20. 변 ㄴㄷ을 먼저 그릴 경우는
변 ㄱㄴ(또는 변 ㄹㄷ) → 변 ㄹㄷ(또는 변 ㄱㄴ)
→ 변 ㄱㄹ 순으로,
변 ㄱㄴ을 먼저 그릴 경우는
변 ㄴㄷ → 변 ㄷㄹ → 변 ㄱㄹ 순으로,
변 ㄹㄷ을 먼저 그릴 경우는
변 ㄴㄷ → 변 ㄱㄴ → 변 ㄱㄹ의 순으로
그리게 되므로 마지막에 변 ㄱㄹ을 그려야 합니다.

6. 도형의 대칭

 개념익히기 page. 59

1. 점 ㅂ   **2.** 변 ㅁㄹ

3. 각 ㅂㄱㄴ   **4.** $90°$

5. (1) 5, 3 (2) 85

6. 점 ㄱ, 점 ㄹ / 변 ㄱㄹ, 변 ㄹㄱ /
각 ㄴㄷㄹ, 각 ㄷㄴㄱ

7. 35 cm   **8.**
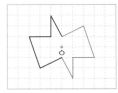

5. (2) $180° - (25° + 70°) = 85°$

7. (변 ㄷㄹ)$=$(변 ㅂㄱ)$= 7$ cm,
(변 ㄴㄷ)$=$(변 ㅁㅂ)$= 7$ cm,
(변 ㄴㅇ)$=$(변 ㅁㅇ)$= 7$ cm
이므로 사각형 ㄴㄷㄹㅁ의 둘레는
$7 + 7 + 7 + 7 + 7 = 35(cm)$입니다.

 **동네달따기** page. 60~63

1. ㄴ, ㄷ, ㄹ, ㅁ   **2.** ㅂ, ㅅ, ㅍ, ㅎ

3. ⑤

4. (1) (2)
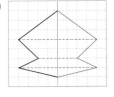

5. 7 cm, $65°$

6. (1) (2)
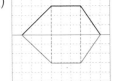

7. ④

8. (1) 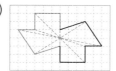　(2)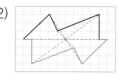

9. (1) 15 cm　(2) 75°　(2) 22 cm

10. 70°　　　**11.** 7 cm

12. (1)　(2)

3. ① 1개　② 2개　③ 5개　④ 4개　⑤ 6개

5. 변 ㄴㅁ의 대응변은 변 ㄷㅁ이고, 선대칭도형에서 대응변의 길이는 같으므로
(변 ㄴㅁ)=(변 ㄷㅁ)=7 cm입니다.
각 ㅁㄷㄹ의 대응각은 각 ㅁㄴㄱ이고, 선대칭도형에서 대응각의 크기는 같으므로
(각 ㅁㄷㄹ)=(각 ㅁㄴㄱ)=65°입니다.

9. (1) 변 ㄱㄴ의 대응변은 변 ㄹㅁ이므로 15 cm입니다.
(2) (각 ㅁㅂㄹ)=180°−(70°+35°)=75°
(3) 변 ㄱㅂ과 변 ㄹㄷ은 대응변으로 길이가 같습니다. (선분 ㄱㄹ)=14+8=22(cm)입니다.

10. 삼각형 ㄱㄴㅇ은 이등변삼각형이므로 각 ㄱㄴㅇ의 크기는 55°이고 각 ㄱㅇㄴ의 크기는 180°−(55°+55°)=70°입니다.
따라서 (각 ㄱㅇㄴ)=(각 ㄷㅇㄹ)=70°입니다.

11. 선분 ㄱㄷ과 선분 ㄴㄹ은 점 ㅇ에 의해 이등분되므로 (선분 ㅇㄹ)=9 cm입니다.
(선분 ㄱㄷ)=32−(9+9)=14(cm)이므로
선분 ㅇㄷ의 길이는 14÷2=7(cm)입니다.

page. 64~65

1. ③, ①, ②, ②, ③　**2.** ㅁ, ㅇ, ㅍ
3. 12개　　**4.** 60 cm
5. 76 cm　　**6.** 풀이 참조

3. 6+4+2=12(개)

4.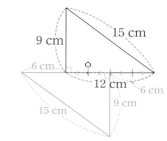
(둘레)=9×2+6×2+15×2=60(cm)

5. (변 ㄱㄴ)=(변 ㄴㄷ)=8 cm이고,
(변 ㄱㅇ)=6×2=12(cm)이므로
점대칭도형의 둘레는
(8+8+12+10)×2=76(cm)입니다.

6. 대칭의 중심에서 대응점까지의 거리가 같으므로 (선분 ㅇㄷ)=(선분 ㅇㅂ)=6 cm입니다.
(선분 ㄷㅁ)=(선분 ㅂㄴ)
　　　=24−6−6=12(cm)
이므로 (선분 ㄴㅁ)=12+24=36(cm)입니다.

page. 66~67

1. 68 cm　　**2.** 풀이 참조 / 46 cm²
3. 2가지　　**4.** 120°
5. 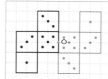　**6.** 36 cm²

1. 정사각형의 넓이는 $11 \times 11 = 121(\text{cm}^2)$이므로 겹쳐진 부분은 넓이가 $242 - 217 = 25(\text{cm}^2)$인 정사각형입니다. 따라서 겹쳐진 작은 정사각형의 한 변의 길이는 $5\ \text{cm}$이므로 이 선대칭도형의 둘레는 $(11+6) \times 4 = 68(\text{cm})$입니다.

2.
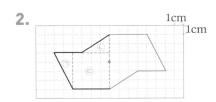

{(㉠의 넓이)+(㉡의 넓이)+(㉢의 넓이)}×2
$= (2 \times 4 \div 2 + 3 \times 2 \div 2 + 4 \times 4) \times 2$
$= 46(\text{cm}^2)$

3.
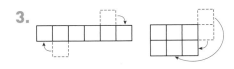

4. 선대칭도형이므로
   (각 ㅁㄷㄱ)=(각 ㄴㄷㄱ)
   $\qquad\qquad = 180° - (90° + 30°) = 60°$
   점대칭도형이므로
   (각 ㄱㄴㄷ)=(각 ㄷㄹㄱ)=30°입니다.
   따라서 (각 ㅂㄷㄹ)=90° - 60° = 30°이므로
   (각 ㄷㅂㄹ)=180° - (30° + 30°) = 120°입니다.

6.
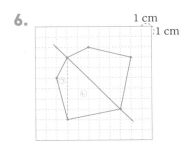

   (㉠의 넓이)=$6 \times 1 \div 2 = 3(\text{cm}^2)$
   (㉡의 넓이)=$6 \times 5 \div 2 = 15(\text{cm}^2)$
   (전체 넓이)=$(3+15) \times 2 = 36(\text{cm}^2)$

7. 직육면체

개념 익히기
page. 69

1. 꼭짓점, 면, 모서리   2. ②
3. (1) 밑면 (2) 수직, 수직
4. (1) 9개 (2) 3개 (3) 7개 (4) 1개
5. (1) 면 ㉡ (2) 3쌍 (3) 면 ㉢
   (4) 면 ㉡, 면 ㉢, 면 ㉣, 면 ㉤

1. 면과 면이 만나는 선분을 모서리, 모서리와 모서리가 만나는 점을 꼭짓점이라고 합니다.

2. 직사각형 6개로 둘러싸인 도형을 직육면체라고 합니다.

3. 참고
   정육면체의 면 사이의 관계는 직육면체의 면 사이의 관계와 같습니다.

동네 답 따기
page. 70-73

1. ㉢
2. (1) 4, 7, 10 (2) 5, 5
3. 4개   4. ⑤
5. ②
6. (1) 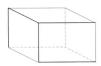   (2)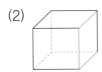

7. (1) 면 ㅊㅅㅇㅈ (2) 점 ㄱ, 점 ㅈ (3) 변 ㅎㄱ
8. 12 cm, 6 cm, 5 cm
9. 4 cm, 10 cm, 6 cm
10. ⑤   11. 3, 2, 6
12. ㄱ, ㅂ, ㅅ

1. ㉢ 정육면체의 모서리의 수는 12개입니다.

3. 면 ㄴㅂㅁㄱ을 제외한 나머지 4개의 면은 밑면과 수직으로 만납니다.

4. 보이는 모서리는 실선으로, 보이지 않는 모서리는 점선으로 그립니다.

8. 서로 평행한 면끼리는 합동입니다.

9. 직육면체에서 볼 때, 밑면이 가장 넓은 면이므로 전개도 상에 밑면을 나타내고 생각합니다.
따라서 ㉡은 10 cm, ㉢은 6 cm, ㉠은 높이에 해당하는 4 cm입니다.

10. 서로 맞닿는 변을 확인하여 봅니다.

11. ㉠은 4와 평행한 면, ㉡은 5와 평행한 면, ㉢은 1과 평행한 면입니다.
따라서 ㉠은 7−4=3, ㉡은 7−5=2, ㉢은 7−1=6입니다.

12.

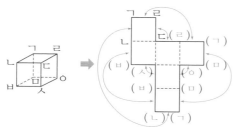

따라서 ㄱ, ㅂ, ㅅ입니다.

 page. 74~75

1. 풀이 참조	**2.** 80 cm
3. 풀이 참조	**4.** 30 cm
5. 풀이 참조	**6.** 풀이 참조

1.

맞닿는 변을 파악하여 기호를 차례로 채워갑니다.

2. (10×4)＋(3×4)＋(7×4)＝80(cm)

3.

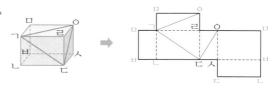

전개도에 각 꼭짓점의 기호를 쓴 뒤 선을 긋습니다.

4. (선분 ㅊㅈ)＝(선분 ㅌㅍ)＝(선분 ㅎㅍ)
＝2 cm,
(선분 ㄱㅎ)＝(선분 ㅌㅋ)＝(선분 ㅍㅇ)
＝5 cm,
(선분 ㅋㅊ)＝(선분 ㅇㅈ)＝(선분 ㅇㅅ)
＝8 cm이므로
색칠한 부분의 둘레의 길이는
(2＋5＋8)×2＝30(cm)입니다.

5.

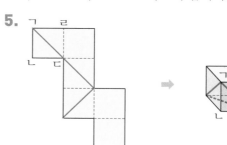

6.

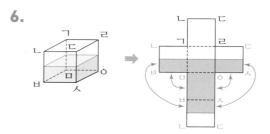

전개도에 각 꼭짓점의 기호를 쓴 후 물이 닿는 부분을 그려 넣습니다.

 page. 76~77

1. 풀이 참조	**2.** 풀이 참조
3. 10 cm, 15 cm, 30 cm	

4. (1) 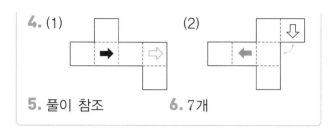 (2)

5. 풀이 참조   **6.** 7개

1.

2.

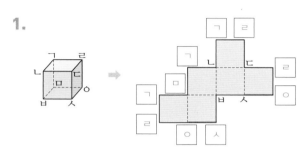

3.

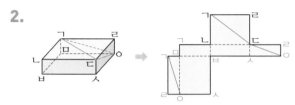

ⓛ=(50−30)÷2=10(cm)
ㄱ=(50−10×2)÷2=15(cm)

4. 평행한 면을 찾아 화살표를 그려 넣되 방향을 생각합니다.

5.

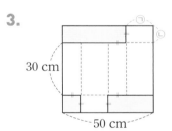

6.

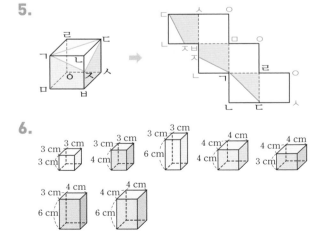

8. 정다면체의 활용

깨념익히기 page. 79

1. 6, 5, 4   **2.** 14
3. 20   **4.** 6
5. 2   **6.** 1

1. 2와 평행한 면이 5이므로 2와 수직인 면의 수의 합은 1+3+4+6=14입니다.

3. 맨 윗면과 맨 아랫면의 수의 합이 7이므로 아랫면의 수의 합은 7×5−15=20입니다.

4.

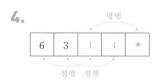

5.

6.

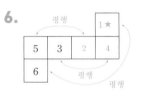

동메달따기 page. **80~83**

1. 5   **2.** ㉮ : 3, ㉯ : 4
3. 5   **4.** ④
5. 다
6. (1) 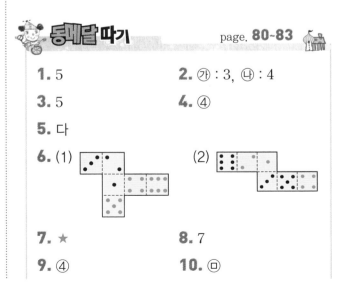 (2)
7. ★   **8.** 7
9. ④   **10.** ㅁ

11. ㉠ : 초록, ㉤ : 보라

12. ㉠ : 주황, ㉡ : 노랑, ㉢ : 보라, ㉣ : 초록,

㉤ : 주황, ㉥ : 노랑, ㉦ : 보라, ㉧ : 빨강,

㉨ : 초록, ㉩ : 파랑, ㉪ : 노랑, ㉫ : 보라

1. 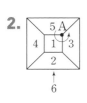 왼쪽 그림에서 볼 때 꼭짓점 A를 중심으로 시계 반대 방향으로 도는 순서는 4 → 5 → 6입니다.
따라서 ㉠에 올 수는 5입니다.

2. 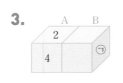 왼쪽 그림에서 볼 때 꼭짓점 A를 중심으로 시계 반대 방향으로 도는 순서는 5 → 1 → 3입니다.
따라서 ㉮에 올 수는 3, ㉯에 올 수는 4입니다.

3. A의 오른쪽 면에 올 수는 6입니다.
따라서 B의 왼쪽 면에는
8−6=2이므로 ㉠에 올 수는
7−2=5입니다.

7. 3개의 정육면체를 참고하여 그린 그림은 오른쪽과 같습니다.
따라서 ▲ 모양과 평행한 면에 그려진 모양은 ★입니다.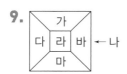

8. 나에서 오른쪽 주사위의 ㉡의 눈은 6이고, 겹치는 면의 눈은 5입니다. 겹치는 면의 눈의 합이 10이므로 왼쪽 주사위의 겹치는 면의 눈은 10−5=5이고, ㉠의 눈은 1입니다. 따라서 ㉠과 ㉡의 합은 7입니다.

9.

가		
다	라	바 |←나
마		

10. ㉠에 온 정육면체의 밑면의 색은 주황입니다.
정육면체를 오른쪽으로 굴리면 노랑 → 보라 → 초록 → 주황이 반복되므로 주황이 되는 면은 ㉢입니다.

11. ㉨과 ㉥이 평행하고 ㉥과 ㉣이 평행하며 ㉣과 ㉡이 평행하므로 ㉨과 ㉡은 평행합니다.
따라서 ㉡은 노랑이므로 ㉨은 초록입니다.
㉤과 ㉦은 같은 색이며 ㉦과 ㉢도 같은 색이므로 ㉤과 ㉢은 같은 색입니다.
따라서 ㉢은 보라이므로 ㉤도 보라입니다.

12. ㉠, ㉤ → 주황, ㉡, ㉥, ㉪ → 노랑, ㉢, ㉦, ㉫ → 보라, ㉣, ㉨ → 초록, ㉧ → 빨강, ㉩ → 파랑

웹예답따기 page. 84-85

1. 11

2. 빨강 - 보라, 주황 - 파랑, 노랑 - 초록

3. 초록, 파랑   **4.** 1

5. ㉡ : 2, ㉢ : 2

6. 1, 4, 2, 1, 5, 3, 2, 1, 5, 6, 4, 2

1. 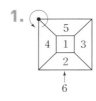 2층의 입체도형의 밑면에 위치한 수는
7−1=6입니다.
1층의 입체도형의 경우 꼭짓점을 중심으로 4−5−6은 시계 반대 방향으로 회전하므로 윗면은 5입니다. 따라서 6+5=11입니다.

2.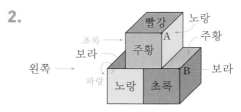

꼭짓점 A를 중심으로 시계 반대 방향으로 도는 순서는 빨강 → 주황 → 노랑이고 꼭짓점 B를 중심으로 시계 반대 방향으로 도는 순서는 주황 → 초록 → 보라이므로 오른쪽 그림과 같습니다.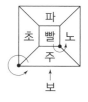

따라서 빨강은 보라와 주황은 파랑과 노랑은 초록과 맞은 편입니다.

3. 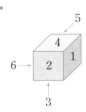 노랑과 맞은 편인 초록이 보이며, 꼭짓점을 중심으로 시계 반대 방향으로 노랑 → 보라 → 파랑의 순서이므로 파랑이 보입니다.

4.

A에 올 수는 1이며 이것은 ㉠에 올 수와 같습니다.
따라서 ㉠에 올 수는 1입니다.

5. ㉡과 D는 평행한 면이며 D는 C와 평행한 면이므로 ㉡은 C와 같은 면입니다.
C에 올 수는 2이므로 ㉡에는 2가 옵니다.
또한, ㉡과 G는 평행한 면이며, G와 ㉢이 평행하므로 ㉡과 ㉢은 같은 면입니다.
따라서 ㉢도 2입니다.

6.

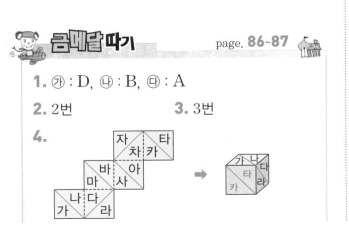

금메달따기 page. 86~87

1. ㉮ : D, ㉯ : B, ㉰ : A

2. 2번   **3.** 3번

4.

---

5. (1) 3   (2) 4   (3) 2   **6.** 6

1. 거쳐가는 면의 꼭짓점마다 기호를 붙이면 오른쪽과 같습니다.
따라서 ㉮는 D, ㉯는 B, ㉰는 A입니다.

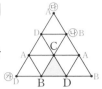

2. 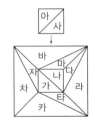 노랑인 면은 삼각형 ABC이므로 2번 있습니다.

3. 빨강인 면은 삼각형 ABD이므로 3번 있습니다.

4. 전개도를 접은 정육면체는 오른쪽 도형과 같습니다.

5. (1) [그림 1]에서 마주 보는 면의 숫자의 합이 7이라 하였으므로 ㉠ 면의 숫자는 3입니다.
(2) ① 정육면체의 아랫면의 숫자는 5이므로 ② 정육면체의 윗면의 숫자는 3이 됩니다. 따라서 ② 정육면체의 왼쪽 옆면의 숫자는 5이고 ③ 정육면체의 오른쪽 옆면의 숫자는 3이 됩니다. 따라서 ㉡ 면의 숫자는 4입니다.

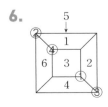

(3) [그림 1]에서 윗면의 숫자가 1이고, 왼쪽 옆면의 숫자가 4일 때 ㉢ 면의 숫자는 2입니다.

6. 각각의 정육면체를 보고 왼쪽 그림에 숫자를 정리하면 맨 위의 정육면체는 ①의 위치에서 본 모양이고, 가운데 층의 오른쪽 정육면체는 ②의 위치에서

본 모양입니다. 가운데 층의 왼쪽 정육면체는 ③의 위치에서, 맨 아래층 정육면체는 ④의 위치에서 본 모양입니다.
따라서 2의 맞은 편에 있는 숫자는 6입니다.

9. 도형과 규칙성

개념 익히기
page. 89

1. 5 / 4, 5, 6, 7　　　　**2.** 12개

3. 48개　　　　　　　　**4.** 55개

5. 3개　　　　　　　　　**6.** 301개

7. (1) 16개　(2) 7개　(3) 3개　(4) 1개
　　(5) 27개

2. 삼각판의 수는 사각판의 수보다 2 큽니다.

3. $50-2=48$(개)

4. $1+2+3+\cdots+8+9+10$
　　$=(1+10)\times 5=55$(개)

7. (1) $1+3+5+7=16$(개)
　　(2) $1+2+3+1=7$(개)
　　(3) $1+2=3$(개)
　　(5) $16+7+3+1=27$(개)

동메달 따기
page. 90~93

1. 40개　　　　　　　**2.** 52개

3. 48개　　　　　　　**4.** 220 cm²

5. 일곱 번째　　　　　**6.** 29번째

7. 465장　　　　　　　**8.** 19번째

9. 1325장　　　　　　**10.** 40 cm

11. 8번째　　　　　　**12.** 31번째

1. 4개씩 늘어나는 규칙이 있습니다.
　➡ $4\times 10=40$(개)

2. 첫 번째에는 7개의 성냥개비가 놓이고 다음부터는 5개씩 늘어나는 규칙이 있습니다.
　➡ $7+5\times 9=52$(개)

3.

개수 칸수	△모양	▽모양
25	1	0
16	$1+2=3$	0
9	$1+2+3=6$	0
4	$1+2+3+4=10$	$1+2=3$
1	$1+2+3+4+5=15$	$1+2+3+4=10$
합계	35	13

따라서 찾을 수 있는 크고 작은 정삼각형은 모두 $35+13=48$(개)입니다.

4. $1+2+3+\cdots+10=55$(개)의 작은 정사각형이 되므로 넓이는 $2\times 2\times 55=220\left(\text{cm}^2\right)$입니다.

5. $112\div 4=28$(개)의 작은 정사각형이 있을 때입니다.
$28=1+2+3+4+5+6+7$이므로 일곱 번째 도형입니다.

6. 꼭짓점의 수를 이용하여 규칙을 알아봅니다.
첫 번째 ➡ $1\times 2+2=4$(개)
두 번째 ➡ $2\times 2+2=6$(개)
세 번째 ➡ $3\times 2+2=8$(개)
□ 번째 ➡ $□\times 2+2=60$,
　　　　$□=(60-2)\div 2=29$(번째)

7. $1+2+3+\cdots+29+30=465$(장)입니다.

8. 첫 번째 ➡ $1+2=3$(장)
두 번째 ➡ $1+2+3=6$(장)
세 번째 ➡ $1+2+3+4=10$(장)
　　　　⋮
19번째 ➡ $1+2+3+\cdots+20=210$(장)

9. 첫 번째 ➡ 2장 차이
두 번째 ➡ 3장 차이
세 번째 ➡ 4장 차이
　　　　⋮

50번째 ➡ 51장 차이

따라서 2＋3＋4＋…＋50＋51＝1325(장)
입니다.

10. 49＝1＋3＋5＋7＋9＋11＋13이므로 가장
아랫쪽이 13칸으로 된 경우입니다.
따라서 둘레의 길이는
(13＋7)×2＝40(cm)입니다.

11. 첫 번째 ➡ (3＋2)×2＝10(cm)
두 번째 ➡ (5＋3)×2＝16(cm)
세 번째 ➡ (7＋4)×2＝22(cm)
네 번째 ➡ (9＋5)×2＝28(cm)
　　　⋮　　　　　　⋮
따라서 10, 16, 22, 28, …, 52 에서
둘레의 길이가 52 cm인 경우는
(52－10)÷6＋1＝8(번째)입니다.

12. 첫 번째 ➡ 4개, 두 번째 ➡ 9개,
세 번째 ➡ 16개, …
30번째 ➡ 31×31＝961(개),
31번째 ➡ 32×32＝1024(개)
이므로 31번째입니다.

음메달따기　　　　　page. 94-95

1. 61개	2. 54개
3. 29개	4. 78개
5. 235개	6. 998개

1. 1＋6＋12＋18＋24＝61(개)

2. 두 번째와 세 번째 ➡ 각각 6개씩
네 번째와 다섯 번째 ➡ 각각 6＋18＝24(개)씩
여섯 번째와 일곱 번째
➡ 각각 6＋18＋30＝54(개)씩
따라서 여섯 번째의 그림에서 사용되는 검은색
정육각형은 54개입니다.

3.

그림 순서	두 번째	네 번째	여섯 번째	…
검은색 정육각형 개수	6	24	54	…
흰색 정육각형 개수	1	13	37	…
개수의 차이	5	11	17	…

따라서 5＋6×4＝29(개)입니다.

4.

개수 칸수	△ 모양의 개수	▽ 모양의 개수
36	1	0
25	3	0
16	6	0
9	10	1
4	15	6
1	21	15
	↑ 56개	↑ 22개

따라서 찾을 수 있는 삼각형은 모두
56＋22＝78(개)입니다.

5.

개수 칸수	△ 모양의 개수	▽ 모양의 개수
81	1	0
64	3	0
49	6	0
36	10	0
25	15	0
16	21	3
9	28	10
4	36	21
1	45	36
	↑ 165개	↑ 70개

따라서 찾을 수 있는 삼각형은 모두
165＋70＝235(개)입니다.

6. 　1칸짜리 4개, 2칸짜리 4개 → 4＋4

　1칸짜리 8개, 2칸짜리 8개, 4칸짜리
　2개 → 4×2＋4×2＋2×1

　1칸짜리 12개, 2칸짜리 12개,
　4칸짜리 4개
　→ 4×3＋4×3＋2×2

1칸짜리 16개, 2칸짜리 16개,
4칸짜리 6개
→ 4×4+4×4+2×3

따라서 100개를 이어 붙여 만든 도형에서 찾을
수 있는 삼각형은 모두
4×100+4×100+2×99=998(개)입니다.

금메달 따기   page. 96~97

1. 40개
2. 504개
3. 10번째
4. 9개
5. 12개
6. 15개
7. 195개

1. 가로로 놓인 성냥개비와 세로로 놓인 성냥개비
   의 개수는 항상 같습니다.
   따라서 가로로 놓인 개수를 구하여 2배합니다.
   첫 번째 ➡ (1+2+2)×2=10(개)
   두 번째 ➡ (1+2+3+3)×2=18(개)
   세 번째 ➡ (1+2+3+4+4)×2=28(개)
   네 번째 ➡ (1+2+3+4+5+5)×2
              =40(개)

2. 가로로 놓인 성냥개비의 개수는
   (1+2+3+…+21)+21=252(개)이므로
   252×2=504(개)입니다.

3. 가로로 놓인 성냥개비는 154÷2=77(개)이며,
   77=(1+2+…+11)+11이므로
   11-1=10(번째)입니다.

7. 다음 모양을 만드는 데 필요한 성냥개비의 개수
   는 3개씩 더 많아집니다.
   6+9+12+15+18+21+24+27+30+33
   =(6+33)×10÷2=195(개)

10. 도형 세기

개념 익히기   page. 99

1. 〈방법 1〉 9, 12, 6, 4, 4, 1 / 9, 12, 6, 4,
            4, 1, 36
   〈방법 2〉 1, 2, 3, 6 / 1, 2, 3, 6 / 6, 6, 36
2. 9, 4, 1 / 9, 4, 1, 14
3. 1, 2, 3, 4, 1, 2, 10, 3, 30 / 4 / 30, 4, 34
4. 6, 2 / 6, 2, 12

동메달 따기   page. 100~103

1. 60개
2. 90개
3. 30개
4. 18개
5. 192개
6. 15개
7. 21개
8. 44개
9. 75개
10. 12개
11. 9개
12. 84개

1. 가로 한 줄에서 찾을 수 있는 사각형은
   1+2+3+4=10(개),
   세로 한 줄에서 찾을 수 있는 사각형은
   1+2+3=6(개)이므로 10×6=60(개)입니다.

2. (1+2+3)×(1+2+3+4+5)=90(개)

3. 1칸짜리 → 4×4=16(개)
   4칸짜리 → 3×3=9(개)
   9칸짜리 → 2×2=4(개)
   16칸짜리 → 1×1=1(개)
   따라서 1+4+9+16=30(개)입니다.

4. (1+2)×(1+2+3)=18(개)

5. 도형 (가)와 (나)에서 각각 찾을 수 있는 사각형
   의 개수를 더한 뒤, 겹친 부분에서 찾을 수 있는

사각형의 개수를 빼서 구합니다.

도형 (가)에서는

$(1+2)\times(1+2+3+4+5+6+7)$

$=84$(개)

도형 (나)에서는

$(1+2+3+4+5+6)\times(1+2+3)$

$=126$(개)

겹친 부분에서는 18개이므로

$84+126-18=192$(개)입니다.

6. ☆은 왼쪽에서 3번째, 오른쪽에서 5번째 칸이므로 $3\times5=15$(개)입니다.

7. 선분 ㄱㄴ이 없는 것으로 생각하면 찾을 수 있는 사각형은 $(1+2+3)\times(1+2)=18$(개),
선분 ㄱㄴ을 포함하는 사각형은 3개입니다.
따라서 찾을 수 있는 사각형은 모두
$18+3=21$(개)입니다.

8.
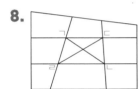

선분 ㄱㄴ과 ㄷㄹ이 없는 것으로 생각하면,
찾을 수 있는 사각형은
$(1+2+3)\times(1+2+3)=36$(개),
선분 ㄱㄴ과 ㄷㄹ을 포함하는 사각형은 각각
4개씩입니다.
따라서 찾을 수 있는 사각형은 모두
$36+4+4=44$(개)입니다.

9.
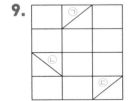

선분 ㉠, ㉡, ㉢이 없는 것으로 생각하면,
찾을 수 있는 사각형은
$(1+2+3)\times(1+2+3+4)=60$(개),
선분 ㉠, ㉡, ㉢을 포함하는 사각형은 각각 5개
씩입니다.
따라서 찾을 수 있는 사각형은 모두
$60+5+5+5=75$(개)입니다.

10. $60=10\times6=(1+2+3+4)\times(1+2+3)$
으로 나타낼 수 있으므로 가로로 4칸, 세로로 3
칸이 되도록 그린 것입니다.
따라서 $4\times3=12$(개)입니다.

11. $14=1+4+9$입니다. 즉, 1칸짜리 9개, 4칸짜
리 4개, 9칸짜리 1개로 구성된 것으로 생각할
수 있으므로 가로 3칸, 세로 3칸이 되도록 그린
것입니다.

 따라서 $3\times3=9$(개)입니다.

12.
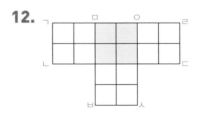

직사각형 ㄱㄴㄷㄹ에서 찾을 수 있는 사각형
→ $(1+2+3+4+5+6)\times(1+2)$
   $=63$(개),
직사각형 ㅁㅂㅅㅇ에서 찾을 수 있는 사각형
→ $(1+2)\times(1+2+3+4)=30$(개),
겹친 부분에서 찾을 수 있는 사각형
→ $(1+2)\times(1+2)=9$(개)이므로
$63+30-9=84$(개)입니다.

page. 104-105

1. 55개	2. 24개
3. ㉡, ㉣	4. 116개
5. 87개	6. 43개

1. 1칸짜리 → $5\times5=25$(개)
4칸짜리 → $4\times4=16$(개)
9칸짜리 → $3\times3=9$(개)
16칸짜리 → $2\times2=4$(개)
25칸짜리 → $1\times1=1$(개)

$1+4+9+16+25$
$=55$(개)

2. [방법 1]

1칸짜리 → 1개
2칸짜리 → 4개
3칸짜리 → 3개
4칸짜리 → 5개
6칸짜리 → 6개
8칸짜리 → 2개
9칸짜리 → 2개
12칸짜리 → 1개

따라서
$1+4+3+5+6+2+2+1=24$(개)입니다.

[방법 2]

 에서 ♥를 포함하는 사각형은 $2 \times 3 = 6$(개),

 에서 ♥를 포함하는 사각형은 $2 \times 2 = 4$(개)이므로 $6 \times 4 = 24$(개)입니다.

3.

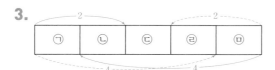

$8 = 2 \times 4 = 4 \times 2$로 나타낼 수 있으므로 ㉡ 또는 ㉣입니다.

4.

선분 ㉠, ㉡, ㉢, ㉣이 없는 것으로 생각하면, 찾을 수 있는 사각형은
$(1+2+3+4+5) \times (1+2+3) = 90$(개),
선분 ㉠, ㉡, ㉢, ㉣을 각각 하나만 포함하는 사각형은 6개씩이므로 $6 \times 4 = 24$(개),
선분 ㉠, ㉢을 동시에 포함하는 사각형 1개, 선분 ㉡, ㉣을 동시에 포함하는 사각형 1개가 있습니다.
따라서 찾을 수 있는 사각형은 모두
$90 + 24 + 2 = 116$(개)입니다.

5.

선분 ㉠, ㉡, ㉢, ㉣이 없을 때
$(1+2+3+4) \times (1+2+3) = 60$(개),
선분 ㉠, ㉡, ㉢, ㉣을 각각 하나만 포함하는 사각형은 5개씩이므로 $5 \times 4 = 20$(개),
선분 ㉠, ㉣을 동시에 포함하는 사각형 1개, 선분 ㉡, ㉢을 동시에 포함하는 사각형 1개, 색칠한 부분 1개, ⬚, ⬚, ⬚, ⬚ 가 있습니다.
따라서 찾을 수 있는 사각형은 모두
$60 + 20 + 3 + 4 = 87$(개)입니다.

6.

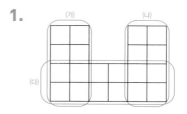

색칠한 부분에서
$(1+2+3+4) \times (1+2) = 30$(개),
선분 ㄱㄴ만 포함하는 사각형은 4개,
선분 ㄴㄷ만 포함하는 사각형은 5개,
선분 ㄱㄷ을 포함하는 사각형은 4개입니다.
따라서 찾을 수 있는 사각형은 모두
$30 + 4 + 5 + 4 = 43$(개)입니다.

금메달 따기   page. 106~107

1. 105개	**2.** 6 cm²
3. 54개	**4.** 32개
5. 84개	**6.** 109개

1.

(가) (나)
(다)

도형 (가), (나), (다)에서 찾을 수 있는 사각형의 개수를 구하여 더한 뒤, (가)와 (다), (나)와 (다)가 각각 겹친 부분에서 찾을 수 있는 사각형의 개수를 구하여 뺍니다.

따라서 $\{(1+2)\times(1+2+3+4)\}$
$+\{(1+2)\times(1+2+3+4)\}$
$+\{(1+2+3+4+5+6)\times(1+2)\}$
$-\{(1+2)\times(1+2)+(1+2)\times(1+2)\}$
$=105$(개)입니다.

2. $150=15\times10$
　　　$=(1+2+3+4+5)\times(1+2+3+4)$
로 나타낼 수 있으므로 가로 5칸, 세로 4칸이 되도록 그릴 수 있습니다.

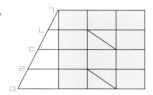

따라서 직사각형 ㉠의 가로는 $15\div5=3$(cm), 세로는 $8\div4=2$(cm)이므로 넓이는 $3\times2=6$(cm²)입니다.

3. 가로 한 줄에서 ★을 포함하는 사각형은 $3\times3=9$(개), 세로 한 줄에서 ★을 포함하는 사각형은 $2\times3=6$(개)이므로 $9\times6=54$(개)입니다.

4. 가로 한 줄에서 ★을 포함하는 사각형은 $4\times2=8$(개), 세로 한 줄에서 ★을 포함하는 사각형은 $2\times2=4$(개)이므로 모든 사각형의 개수는 $8\times4=32$(개)입니다.

5.

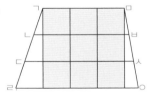

색칠한 부분에서
$(1+2+3)\times(1+2+3)=36$(개),
선분 ㄱㄴ 또는 ㅁㅂ을 포함하는 사각형은 7개,
선분 ㄴㄷ 또는 ㅂㅅ을 포함하는 사각형은 9개,
선분 ㄷㄹ 또는 ㅅㅇ을 포함하는 사각형은 9개,
선분 ㄱㄷ 또는 ㅁㅅ을 포함하는 사각형은 7개,
선분 ㄴㄹ 또는 ㅂㅇ을 포함하는 사각형은 9개,
선분 ㄱㄹ 또는 ㅁㅇ을 포함하는 사각형은 7개 입니다.

따라서 $36+7+9+9+7+9+7=84$(개)입니다.

6.

색칠한 부분에서는
$(1+2+3)\times(1+2+3+4)+5\times2+1$
$=71$(개),
선분 ㄱㄴ을 포함하는 사각형 → 3개,
선분 ㄴㄷ을 포함하는 사각형 → 5개,
선분 ㄷㄹ을 포함하는 사각형 → 4개,
선분 ㄹㅁ을 포함하는 사각형 → 5개,
선분 ㄱㄷ을 포함하는 사각형 → 3개,
선분 ㄴㄹ을 포함하는 사각형 → 4개,
선분 ㄷㅁ을 포함하는 사각형 → 4개,
선분 ㄱㄹ을 포함하는 사각형 → 3개,
선분 ㄴㅁ을 포함하는 사각형 → 4개,
선분 ㄱㅁ을 포함하는 사각형 → 3개,
따라서
$71+(3+5+4+5+3+4+4+3+4+3)$
$=109$(개)입니다.

총괄 평가
 page. 108~111

1. ①, ④　　　　　　**2.** 8개

3. 18 cm　　　　　**4.** ③

5. 풀이 참조, 18 cm²　**6.** 24 cm

7. (1) 가, 마　(2) 마　**8.** ㉢

9. (1) 면 ㄱㅁㅇㄹ
　　(2) 면 ㄴㅂㅅㄷ, 면 ㄷㅅㅇㄹ, 면 ㄱㅁㅇㄹ, 면 ㄱㅁㅂㄴ

10. 63 cm　　　　**11.** ③, ④

12. (1) 면 ㉰　(2) 면 ㉯, 면 ㉱, 면 ㉭, 면 ㉲

13. 4, 12, 11　　　**14.** 풀이 참조

15. 풀이 참조　　**16.** 6

17. 11　　**18.** 81개

19. 65개　　**20.** 24개

3. 선대칭도형이므로 (변 ㄱㄴ)=(변 ㄱㄷ)

(변 ㄱㄴ)+(변 ㄱㄷ)=48−12=36(cm)

따라서 (변 ㄱㄴ)=36÷2=18(cm)

4. ①, ③, ④, ⑤ : 선대칭도형

②, ③ : 점대칭도형

5.

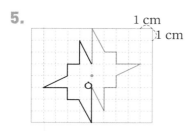

$6+12=18(cm^2)$

6.

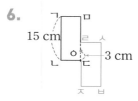

(선분 ㄷㅇ)=(선분 ㄹㅇ)=3 cm이므로

(선분 ㅁㄹ)=(선분 ㅈㄷ)=15−3−3

　　　　　　=9(cm)입니다.

따라서 (선분 ㅁㅈ)=9+3+3+9=24(cm)

입니다.

10. $5×3+9×3+7×3=63(cm)$

13. 전개도를 접었을 때 맞닿는 모서리를 생각해 봅니다.

14. 전개도에서 면 ㉠과 평행한 면은 5의 눈이 있는 면이므로 면 ㉠의 눈의 수는 ㉠+5=7에서 ㉠=2입니다.

15.

17. $(1+2+3+\cdots+11)-(1+2+3+\cdots+10)$
$=11$

18. 처음 오각형을 만든후 다음 오각형을 만들때 4개의 면봉이 더 있어야 합니다.

➡ $5+4×19=81$(개)

19. 대각선이 없는 직사각형의 개수 :

$(1+2+3+4)×(1+2+3)=60$(개)

대각선을 포함한 사다리꼴의 개수 :

$3+2=5$(개)

➡ $60+5=65$(개)

20. (가로 한 줄에서 찾을 수 있는 ★을 포함한 사각형의 개수)=$3×2=6$(개)

(세로 한 줄에서 찾을 수 있는 ★을 포함한 사각형의 개수)=$2×2=4$(개)

➡ $6×4=24$(개)

5 학년이 꼭 ✓ 알아야 한

도형

정답과 풀이